DE L'UTILITÉ DE VOYAGER LÉGER
LEFEBVRE, CATHERINE

PHOTOGRAPHIE DE L'AUTEURE
Mariève Beauséjour
INFOGRAPHIE
Laurie Auger
RÉVISION ET CORRECTION D'ÉPREUVES
Emily Patry et Flavie Léger-Roy

DIRECTION ÉDITORIALE
Antoine Ross Trempe

ISBN : 978-2-920943-68-1

Dépôt légal : 2013
Bibliothèque et Archives du Québec
Bibliothèque et Archives Canada
ISBN : 978-2-920943-68-1

Nous reconnaissons avoir reçu l'aide financière
du gouvernement du Canada par l'entremise du
Fonds du livre du Canada (FLC) pour nos activités
d'édition ainsi que l'aide du gouvernement du
Québec - Programme de crédits d'impôts pour
l'édition de livre et Programme d'aide à l'édition
et à la promotion - Gestion SODEC.

IMPRIMÉ AU CANADA

à Janice,

possiblement la
meilleure personne
pour comprendre que
parfois on a essayé
de faire autre
chose.

Cat xx

De l'utilité
de
voyager léger

De l'utilité de voyager léger

Catherine Lefebvre

cardinal

Lexique des aéroports

IND — Aéroport international d'Indianapolis (États-Unis)
YUL — Aéroport Pierre-Elliott-Trudeau, Montréal (Canada)
DXB — Aéroport international de Dubaï (Émirats arabes unis)
BKK — Aéroport Suvarnabhumi de Bangkok (Thaïlande)
SYD — Aéroport Sydney-Kingsford Smith, Sydney (Australie)
ORD — Aéroport international O'Hare, Chicago (États-Unis)
SFO — Aéroport international de San Francisco (États-Unis)
YYZ — Aéroport international Lester B. Pearson, Toronto (Canada)
EWR — Aéroport international Liberty, Newark (États-Unis)
LIS — Aéroport de Portela, Lisbonne (Portugal)
EZE — Aéroport international Ministro Pistarini de Ezeiza, Buenos Aires (Argentine)
AMS — Aéroport Schiphol, Amsterdam (Pays-Bas)
CDG — Aéroport Paris-Charles-de-Gaulle, Paris (France)
JRO — Aéroport international du Kilimandjaro, Moshi (Tanzanie)
DAR — Aéroport international Julius Nyerere, Dar es Salaam (Tanzanie)

Et finalement, il a besoin de temps.

Patrice est comme mon âme sœur, celui qui finit mes phrases, qui comprend mes jokes absurdes même quand les gens parlent trop fort dans un souper, qui me passe un coup de fil parce qu'il sent que j'ai peut-être envie de parler. C'est avec lui que je vais bruncher quand j'ai besoin de l'avis d'un gars, pas d'un ami gai, pour parler de mes relations amoureuses qui ne marchent pas. Entre deux anecdotes minables, je lui suggère des films que j'ai traduits, il m'envoie une foule de liens sur des sujets passionnants, qui me font rire ou même pleurer parfois. Une source inépuisable d'inspiration. Aussi agréable soit-il, il est le genre de gars auquel je ne pense jamais autrement qu'en ami, puisqu'il a une blonde et qu'il ne m'attire pas vraiment. La vie est mal faite. Il fait donc partie du clan des « pas-touche », mais pas le genre de « pas-touche » qui donne simplement l'envie folle de lui sauter dessus. Plutôt genre auquel on ne penserait jamais en se couchant le soir, parce qu'il est beaucoup trop fin, un peu trop mince et qu'il a les dents légèrement croches… Plein de raisons valables.

Les mois passent, les saisons défilent, mais mon amertume face à l'amour demeure, grandit. Et à travers cette amertume, Patrice est toujours là, m'écoute, me fait la morale à propos des hommes qui me font du mal, et me rassure en me disant que je ne dois pas m'en faire avec eux. Que ça n'a rien à voir avec moi.

    — Elsie, ça a pas de bon sens. Une belle fille comme toi, intelligente, indépendante. Il y en a pas beaucoup des filles comme ça.

Et moi, l'air d'entendre ça pour la première fois.

    — Ben, merci. Je dois choisir les mauvaises personnes. Il paraît qu'il y a des livres complets sur ce sujet-là dans le rayon des gens qui se cherchent à la librairie.

Après des échecs à répétition, un soir, alors que je glissais doucement dans les bras de Morphée, je sursaute d'un coup sec.

Oh! mon Dieu! Dans le fond, le gars parfait pour moi, c'est Patrice. S'il n'était pas en couple et outre le léger détail que je n'ai pas du tout envie de le frencher, ce serait parfait. Mais là, s'il ne m'attire pas, c'est pas fort non plus.

Et puis un jour, sa relation se met à battre de l'aile. Simultanément, nous nous voyons de plus en plus souvent, par hasard, puis par exprès. Je le croise dans le métro, puis chez Métro, et même dans la rangée des déos à la pharmacie. Partout. Bizarrement, ça me fait sourire. Petit à petit, toutes les raisons sont bonnes pour nous voir chaque mois, chaque semaine. C'est à son tour d'avoir besoin de mon écoute par rapport à sa relation. Pas que j'aie de judicieux conseils à lui donner en la matière, mais je suis là, sans jugement. Ou presque. Puis les textos illuminent mon iPhone presque tous les jours, maintenant. Mais ça ne peut pas vouloir dire quoi que ce soit puisqu'il est toujours avec sa blonde et que je n'ai toujours pas envie de lui.

Ça lui prend encore quelques semaines avant de mettre un terme à sa relation, le genre de relation qui tire à sa fin depuis un an.

Est-ce qu'un livre pour gens qui se cherchent m'aurait prévenue de ce genre de comportement? Est-ce un signe que ce mâle trentenaire souffre forcément d'un syndrome de réticence au détachement? A-t-il eu du mal avec sa phase anale?

De retour dans le moment présent, qui ne vient pas avec un coucher de soleil, ni un acacia dans la savane comme peuvent le laisser sous-entendre les couvertures des livres de psycho pop., je réalise chaque fois que je le vois à quel point c'est de quelqu'un comme lui dont j'ai besoin dans ma vie. Il travaille à son compte, fait du yoga, recycle, composte, roule à vélo et récupère même l'eau de cuisson des légumes pour arroser ses plantes. Une série de crochets farfelus sur ma liste de choses que j'aimerais bien que fasse le prochain homme dans ma vie.

Maintenant qu'il est célibataire, je peux me permettre ce genre de constat. Et si seulement il était mon genre physiquement. Pourtant, le physique ne m'importe pas tant que ça. Je n'ai pas forcément besoin d'un Adonis. En fait, je n'ai plus envie d'un Adonis, parce que ceux que je connais n'ont pas de colonne, semblent être aussi perdus que ceux qui se cherchent à la librairie, et souffrent d'une phobie sévère des femmes qui, elles, ont une colonne.

Ça lui prend quelques semaines seulement après sa rupture pour m'inviter à souper chez lui.

Est-ce qu'il se cherche un *rebound*? Il doit simplement avoir envie de baiser, parce qu'il ne m'a jamais invitée à souper chez lui depuis tout le temps qu'on se connaît. Mais non, pas lui quand même. C'est un de mes meilleurs amis et ça fait un petit bout déjà qu'on a cette superbe relation d'amitié. Il ne me ferait jamais ça. En plus, il est tellement différent de tous les autres hommes qui sont passés dans ma vie dans les dernières années.

Après mon auto-interrogatoire, je mets l'angoisse sur le neutre. Peut-être que c'est ma pseudo gueule de bois qui me laisse encore un peu endormie, même en fin d'après-midi. Je n'ai pas l'énergie, ni l'envie d'essayer une dizaine de combinaisons de vêtements dignes d'un genre de souper en tête-à-tête. J'enfile plutôt mon jeans le plus confortable avec un t-shirt en coton. Un t-shirt griffé acheté au rabais dans un marché aux puces, quand même.

Ne sachant pas si ce souper veut dire autre chose que nos innombrables brunchs, je me dis que ça ne peut être qu'un autre de ces bons moments passés en son agréable compagnie. J'enfile mes gougounes et je marche jusque chez lui.

En route, je songe encore à tout ça. Patrice n'est peut-être pas le genre de gars qu'on remarque dans une foule, mais il est certainement la personne qui me stimule le plus depuis un bon bout de temps. Nous sommes sur la même longueur d'onde, aucun malaise à l'horizon. La chimie intellectuelle entre nous est à son apogée. C'est fou ce que la vie nous réserve parfois.

J'arrive sur le pas de sa porte. J'ai peut-être quelques papillons qui tentent tant bien que mal de déployer leurs ailes dans mon estomac. Il ouvre la porte, me fait la bise et me parle tout de suite d'un article qu'il a lu et qui lui a fait penser à la fin d'un film que je lui ai recommandé il y a quelques mois. Rien de différent de l'habitude jusqu'à présent. Ça doit être juste un souper.

Je l'accompagne à la cuisine, il me sert un verre de blanc et termine son potage aux asperges. Il cuisine, en plus. Moi qui n'ai aucun talent culinaire, je crois que j'aime autant manger que je déteste cuisiner. Il poêle ensuite ses pétoncles à la perfection, parce qu'il n'y a rien de pire que des pétoncles trop cuits, et il les sert avec des légumes vapeur pas assez cuits. Nous mettons du temps à finir la première bouteille de vin, tellement les conversations s'enchaînent et les silences se font rares. Toujours rien de différent de l'habitude. Je fais bien de n'être qu'en jeans et en t-shirt.

Après le souper, nous empruntons le long corridor étroit de son appartement pour nous rendre au salon. J'ai encore tellement faim. Un repas sans *carbs*, ça ne fait que m'ouvrir l'appétit. Je crois l'avoir un peu insulté en n'arrivant pas à planter ma fourchette dans ses légumes encore crus. Je ne vais quand même pas rouspéter à propos de son absence de féculents. Faisons diversion.

— J'ai amené la série *Arrested Development*, si ça te tente, dis-je en lui tendant le coffret.

— Ah oui? C'est quoi?

— C'est l'histoire d'une famille dysfonctionnelle, le père se retrouve en prison à cause d'une histoire de fraude, la fille sort avec un gai dans le garde-robe, le plus jeune fils est complètement inapte socialement. Tu vas voir, c'est vraiment bon.

— Euh… T'es sûre?

— Oui, oui! Michael Cera joue le rôle du petit-fils. Il est vraiment bizarre. C'est une de mes séries préférées.

— OK. Dit de même, c'est douteux. Mais t'as du goût d'habitude. Je te fais confiance.

Dans son minuscule salon, il n'y a qu'un minuscule divan favorisant les rapprochements. Je lance soudainement une mauvaise blague.

— Eh ben, ça laisse pas trop de place pour « s'écraser su'l divan », hein? dis-je en m'assoyant plus droite que jamais dans son inconfortable divan, les deux mains posées à plat sur mes genoux.

Et pourquoi je lance une blague nerveuse, moi, maintenant?

J'esquive aussitôt la réflexion qui se pointe dans ma tête et je fais jouer un premier épisode. Plusieurs fous rires, aucun rapprochement. Deuxième épisode, encore des fous rires, quelques faux mouvements qui forcent nos cuisses à se toucher. Troisième épisode, un dernier fou rire avant que sa main se pose sur la mienne maladroitement, qu'il se tourne vers moi et m'embrasse passionnément.

La famille dysfonctionnelle n'est plus d'aucun intérêt. La trame sonore du menu du DVD joue en boucle. Nous, nous frenchons tout le reste de la soirée, comme deux ados.

Après une longue séquence de baisers langoureux, il s'arrête, pose sa main sur ma joue et me regarde tendrement, avec les yeux les plus doux du monde.

— Wow! Ça faisait longtemps que c'était là, ça! Tu le sentais, non? me dit-il.

— Depuis le début, je sens bien que c'est spécial entre nous deux. Mais, en même temps, je me suis jamais permis de ressentir quoi que ce soit d'autre à cause de ton ex.

— Ouin, j'avoue. Moi, je le sens depuis la première fois que je t'ai vue. L'énergie que tu dégages. J'ai même pas besoin de savoir que t'es là, je le sens.

— Hein? Ben voyons!

— Mets-en! Tu m'apaises tellement, c'est fou. Pis tu embrasses tellement bien. Pis tu touches tellement bien. Ça fait vraiment longtemps qu'on m'a pas touché comme ça.

— Ah oui? Ben, merci! Moi aussi, tu m'apaises, tu sais.

Il doit bien être celui que j'attendais depuis si longtemps. C'est comme si nous avions une illumination l'un pour l'autre tant nous sommes semblables, de la même espèce. J'ai l'impression de me laisser tomber dans un coussin Fatboy, tellement je suis bien. Enfin! Après tout ce temps-là, il était là, si près de moi, parfait pour moi. Il m'a fallu faire le tour de la planète pour revenir à lui. Je n'en reviens pas. Où ai-je bien pu avoir la tête?

Après de longs baisers, encore et encore, je décide de rentrer chez moi, afin de ne rien brusquer, de ne pas aller trop vite. Ça fait à peine un mois qu'il n'est plus avec son ex.

Une semaine plus tard, voilà un moment nettement plus opportun pour passer à une prochaine étape. La patience est avec moi, et avec mon esprit. En sortant du vernissage d'un artiste avec qui il a travaillé pour un projet, qui s'est évidemment terminé plus tard et plus arrosé que prévu, je lui chuchote à l'oreille :

— Ce soir, je pourrais passer la nuit dans tes bras, tu sais?

— Oui? J'aimerais vraiment ça. Je sais que c'est tôt, mais avec toi, c'est différent. Ça fait tellement longtemps qu'il y a de quoi entre nous.

Main dans la main, nous marchons vers chez lui. La ville est soudainement plus belle, la musique trop pop du bar de cégépiens me donne envie de danser en pleine rue et je souris même aux *junkies* du carré Saint-Louis.

En arrivant à son 3 ½ étroit, il me prend dans ses bras, puis prend doucement ma tête entre ses mains. Il pose un doux baiser sur ma joue, puis sur le bout de mon nez et il colle son front contre le mien. Nous restons longtemps comme ça, à respirer, à profiter de nous être trouvés. Enfin. En nous déplaçant vers sa chambre en continuant à nous embrasser, j'accroche un cadre au passage, je me cogne une fesse sur le coin du meuble. Je ne sens rien. Il me serre dans ses bras encore une fois et me caresse partout. Je glisse un doigt sous sa chemise, puis deux, puis ma main au complet, avant de la retirer lentement. Nos corps l'un contre l'autre, nous posons nos lèvres sur chaque parcelle de notre peau pour nous découvrir, pour dépister nos zones les plus érogènes. Manifestement un exercice qu'il n'a pas fait depuis longtemps, à voir à quel point il gémit de plaisir. L'extase.

C'est le début de l'été, ça fait à peine deux mois que je suis revenue de mon deuxième séjour en Tanzanie. Vu les circonstances, ça devrait me garder au pays pendant un petit bout. Il habite tout près de chez moi. Tous les deux à notre compte, nous nous rendons visite en plein après-midi pour faire l'amour et aller manger une crème glacée à la crèmerie du coin.

Ça fait maintenant trois semaines que nous flottons sur un nuage de pur bonheur. Du bonheur sain, égal, comme je n'en ai pas vécu depuis beaucoup trop longtemps. Pour le long weekend, il va dans un chalet avec des amis, comme chaque année. Trois jours sans le voir… Ça semble si long tout d'un coup. J'en profite pour charger mon horaire à bloc, afin de ne pas trop m'ennuyer de lui : souper avec la cousine en visite le vendredi soir; yoga le samedi matin; esthéticienne en après-midi; souper de fête en soirée et brunch hebdomadaire avec les copines le dimanche. Vivement le brunch!

****

Amélie, la petite princesse de la bande, dépense une fortune sur ses cheveux dorés et parfaitement bouclés, sa garde-robe griffée et ses soins corporels tantôt à l'huile de baobab, tantôt à la cire de cactus, au spa urbain du Vieux-Montréal. Elle travaille en relations publiques, c'est un peu comme ça qu'elle justifie toutes ces dépenses exorbitantes. Cette semaine, elle a croisé son ex, Renaud, en tête-à-tête avec Cassandra, la poulette au teint vaporisé qu'il a ramenée de son dernier voyage d'affaires à Miami.

Mélissa, la fifille sans flafla aux cheveux noirs et courts pour un minimum de temps à se préparer le matin, travaille comme chargée de projet pour la ville. Elle ne voit absolument personne depuis l'hiver dernier. Un désert de glace. C'est aussi ma partenaire de yoga chaud, mais pas trop. Le genre de yoga dans lequel ce n'est pas l'armée et qu'il est permis de boire de l'eau.

Et Violaine, rouquine, athlétique et adepte du maudit bateau-dragon, un prétexte pour faire sortir le méchant de son horaire de fou à son agence de publicité-stratégie Web-relations publiques-tout ce que vous voudrez, qui a le don de se retrouver dans des histoires d'adolescents. Son dernier coup de théâtre : elle a osé dire à son amoureux qu'elle préférait ne pas écouter le volume 2 de Café Méliès, parce que ça lui faisait trop penser à son ex. Frustré, il a déchiré son t-shirt. Pareil comme Hulk.

— Quoi? dis-je en recrachant une partie de mon café.

— Je te niaise pas. Il a même fallu que je lui prête mon t-shirt de peinture extralarge pour qu'il rentre chez lui. Je l'ai *flushé* le lendemain par téléphone. Sur le coup, j'avais trop peur qu'il me lance des assiettes par la tête, explique Violaine encore sous le choc.

— Sérieux, méchant cave! dis-je en roulant les yeux.

— Et toi, Elsie, comment ça se passe avec Patrice? me demande Mélissa.

— C'est magique! Non mais, tout ce temps-là, il était si près de moi. J'avais jamais vraiment pensé à lui autrement, vu qu'il était avec sa blonde et que je pensais pas pouvoir être attirée par lui physiquement. Mais ça a été comme une révélation pour nous deux.

— Tant mieux, sincèrement. Pas que je me cherche un conte de fées comme le tien, mais plus ça allait, plus Alexis agissait comme un ado. Pas capable de rien faire sans son meilleur ami. C'était rendu qu'il l'invitait à souper pour nos tête-à-tête du dimanche soir. Mais là, la crisette du t-shirt par-dessus tout ça, c'était *too much*! s'exclame Violaine.

— J'avoue que le t-shirt, c'est fort. Je l'ajoute à ma liste d'anecdotes épouvantables et de *dealbreakers* non négociables. Disons qu'il est dans le top 3.

****

Patrice rentre ce soir de sa fin de semaine au chalet. Plutôt tard en soirée, il m'envoie un texto pour me dire qu'il préfère dormir chez lui, parce qu'il est fatigué d'avoir conduit tout seul sur la route du retour. Le chalet est dans les Cantons-de-l'Est. Ce n'est quand même pas à Chibougamau. Je l'appelle pour savoir comment ça s'est passé. Il ne répond pas. Il ne me rappelle pas non plus. Bizarre.

Sous la couette, j'angoisse. Je me suis même remise à me ronger les ongles. Ça y est, c'est bizarre. Encore. À peine trois semaines et il faut déjà qu'il y ait quelque chose qui ne tourne pas rond.

Si ça se trouve, il a parlé de nous à ses amis et ils lui ont fortement conseillé de ne pas s'embarquer dans une autre relation aussi vite. Il a peut-être reparlé à son ex et a réalisé qu'il s'ennuyait finalement. Pire, il a rencontré l'amie d'un ami au chalet qui embrassait mieux que moi. Misère. Je me fais des listes de choses à faire, malgré leur faible degré d'importance : aller porter mon manteau d'hiver chez le nettoyeur, nettoyer le dessus du frigo, enlever les mauvaises herbes dans la cour, trouver la garantie de mon imprimante à 60 $ qui ne numérise plus… Je n'arrive à fermer l'œil que vers 4 h du matin, à bout de fatigue.

Il est midi lorsqu'il m'envoie un premier texto. Son ex veut le voir cette semaine pour régler des trucs à propos de l'appartement qu'ils partageaient depuis un an. Compréhensive de la situation et ne voulant absolument pas l'étouffer, je lui laisse le temps de régler ses trucs avec elle. Il doit bien passer par là pour aller de l'avant avec moi. Voilà ce que je me dis dans un élan d'optimisme ou tout simplement d'insomniaque en déficit aigu de sommeil.

La semaine passe et je n'ai toujours pas de nouvelles de sa part. J'angoisse et donc, je fuis à nouveau en surchargeant mon horaire.

Après avoir épuisé ma carte d'abonnement au studio de yoga, remis tous mes contrats avant leur date de tombée, m'être pris un rendez-vous chez le médecin, le dentiste et l'optométriste, je décide de l'appeler. À ma grande surprise, il répond. Il m'avoue que ça l'a ébranlé plus qu'il ne le pensait de revoir son ex, qu'il est vraiment triste que ça n'ait pas marché entre eux, même s'il sait très bien que plus rien ne fonctionnait avec elle… Et ce n'est que la pointe de l'iceberg de mon angoisse.

Toujours en mode « compréhensive de la situation et ne voulant absolument pas l'étouffer » de peur qu'il s'enfuie lui aussi, je lui laisse une autre semaine pour digérer tout ça. Après quoi je perds patience et je l'invite à souper. J'ai un cours de yoga avant notre rendez-vous, ce qui est parfait pour lui, puisqu'il prend l'apéro avec un nouveau client.

En sortant de mon cours à 19 h 30, je lui envoie un texto pour lui dire que je viens de finir. Je vais aux toilettes, je me change, pas de nouvelles. Je l'appelle. Il me répond en me disant qu'il me rappelle dans cinq minutes. Vingt minutes plus tard, toujours pas de nouvelles. Je le rappelle.

— Salut Patrice, c'est encore moi. Écoute, si t'en as pour un bout encore, pas de stress, je vais aller souper chez moi, t'auras juste à venir me rejoindre.

— Là, Elsie, tu peux pas m'appeler comme ça, quand je suis en rencontre d'affaires.

— Euh… excuse-moi, mais on avait rendez-vous à 19 h 30, il est 20 h, j'ai faim et je veux juste savoir si ça te convient toujours d'aller souper. Sinon, on se verra plus tard, c'est tout.

— Je finis bientôt, je te rejoins au resto.

Clac.

Le resto est à côté de mon studio de yoga. Il est 20 h 30. J'en suis à mon deuxième verre de vin et je n'ai que du pain dans l'estomac. Lorsqu'il arrive, il évite mon baiser en m'embrassant sur la joue. À cet instant précis, je sais que tout va s'effondrer, encore une fois.

— Elsie, ça va trop vite, j'ai vraiment besoin de temps.

— OK, mais je t'ai jamais empêché de prendre du temps pour toi ou de me parler de ton ex.

— Je sais, mais j'ai besoin d'être libre. J'ai vraiment pas besoin de me faire organiser mon horaire comme tu l'as fait tantôt.

— Hein? Mais je voulais pas organiser ton horaire. On avait rendez-vous, c'est tout. Je t'ai même proposé de venir me rejoindre plus tard, si t'avais besoin de plus de temps avec ton client. Et pis, quand tu donnes rendez-vous à quelqu'un, toi, est-ce que tu t'attends à pouvoir les faire attendre sans bon sens?

— Tu vois, ce que tu me dis, là, ça me fait sentir comme si tu contrôlais mon horaire.

— OK, je pense que tu capotes un peu. C'est quoi, tu te rends compte que ça va trop vite, pis que tu veux plus me voir du tout, c'est ça? Comment je peux être passée si vite d'apaisante à étouffante?

— C'est pas ça. J'ai juste besoin de temps. Il faut que tu sois patiente. Fais-le pour moi, OK? On a tout notre temps après tout.

****

Bien avant de sombrer dans les ténèbres dans lesquelles Patrice m'a balancée, j'ai cherché pendant un bon moment ce que je n'arrivais pas à trouver ici, à Montréal. Je ne me laissais charmer que par les différences, j'avais une curiosité insatiable pour tout ce qui m'était étranger. Déception sur déception avec la gent masculine québécoise, j'ai un jour baissé les bras et me suis tournée vers le monde entier. J'en avais marre des hommes qui ne cruisent pas, qui ont peur de la femme indépendante, des faux gars comme Guillaume, mon ex. Il prétendait être aventurier et aimer voyager. Nous ne sommes jamais partis nulle part ensemble en trois ans de vie commune. Il disait adorer ma personnalité forte et indépendante, alors qu'il m'a laissée pour sa meilleure amie, fragile, dépendante affective, avec qui il a emménagé en moins de trois mois. Perte de repères, prise 1.

En presque cinq ans, en alternant entre mon métier de traductrice à la pige et mes nombreuses escapades à l'étranger, j'ai accumulé un bon échantillonnage, tant de *prospects* que de *suspects*, avant de revenir à la case départ et de laisser entrer un autre Québécois dans ma vie. À défaut d'être déçue à coup sûr en restant ici et de devoir me satisfaire d'un long fleuve tranquille, j'ai préféré vivre pleinement ailleurs. La routine, le 9 à 5, les RÉER, l'abonnement privilège au Costco, le 450, bref, tout ce qui peut ressembler à une forme de stabilité quelconque m'effrayait, me faisait fuir en vitesse. Au fil de mes histoires amoureuses outre-mer, j'ai pu esquiver la routine à merveille et baigner dans l'instabilité comme un poisson dans l'eau. Cette douce instabilité m'a permis de plier bagage spontanément, de filer vers le point cardinal qui me plaisait et d'aller voir le monde.

Chapitre 1 : Daniel
Où ça? : Costa Rica
Pourquoi déjà? : Changer d'air

Je pars au Costa Rica avec Steph, une nutritionniste que j'ai rencontrée à l'université dans les toilettes d'un des partys de fin de session. Ce que le don d'un tampon peut faire… Nous avons toutes deux besoin de changement, d'un petit coup d'envoi pour repartir à neuf. Le cœur à peine remis de ma peine d'amour avec Guillaume, un monde nouveau s'ouvre enfin à moi, à nous, puisque Steph aussi a eu son lot de déceptions, surtout depuis son histoire avec Éric qui l'a trompée pour lui donner une bonne raison de le laisser, le lâche.

Le Costa Rica est la destination parfaite pour nous divertir. La chaleur humide de la saison des pluies qui commence à se pointer le bout du nez, la plage au sable volcanique si chaud que nous sautillons jusqu'à nous mettre enfin les pieds dans l'eau, les surfeurs en masse avec leur chevelure magnifiquement maganée par l'eau salée, rien de tel pour remettre deux filles sur le piton. Nos premiers jours de vacances se passent à Mal Pais, entre la plage, le resto et notre lit. Paréo, goulot, dodo. Tiens, je n'ai pas de mal du tout avec ce genre de routine.

Tout au sud de la région de Guanacaste, aux abords de la réserve naturelle Cabo Blanco, se cache ce petit paradis des surfeurs. À noter que nous n'avons aucun intérêt à prendre part à l'un de ces cours 101. Pas question de se ramasser avec la planche en pleine figure ou de revenir le genou en sang parce qu'on s'est écrasées sur les coraux. Nous n'y sommes que pour zieuter.

Bronzette et voyeurisme assouvis, nous continuons notre route vers Montezuma, un peu à l'est de Mal Pais, de l'autre côté de la pointe.

Après une chaude journée tropicale, le soleil tombe dans toute sa splendeur, les cocktails ornés de parapluies en papier de riz et la bière Imperial illustrent très bien le dicton du pays : *la pura vida*. Au Costa Rica ou ailleurs, ce scénario est un grand classique de vacances qui pourrait pourtant très bien se reproduire sur n'importe quelle terrasse de la ville en plein été. Quoi qu'il en soit, ces petits moments sont toujours un peu plus magiques à l'étranger.

Une fois la nuit tombée, les rafraîchissements continuent de couler à flot. Sancho vient de s'installer aux tourne-disques du Chicos Bar. Nous croisons déjà les doigts pour entendre la toune du moment, LA toune quétaine-pop-bonbon. Le genre de toune que nous n'oserions jamais avouer aimer devant personne de notre connaissance. Mais là, nous sommes loin, un peu pompettes et nous nous en foutons. En l'attendant impatiemment, Steph et moi dégustons le meilleur poulet de notre vie. Rôti à la broche, la peau était croustillante, légèrement salée au gros sel, épicée à souhait et arrosée d'une sauce parfaite à la lime, au piment et à la coriandre. Nous ne nous disons même pas un mot pendant le repas tellement c'est bon. Une fois le haut de cuisse englouti, nous recommençons à parler et à nous rappeler la fabuleuse journée que nous venons de passer, à faire de la plongée, à manger du poisson fraîchement pêché et grillé sur la braise, et à jouer au volleyball sur la plage, malgré mon absence de talent. Ce qui m'a d'ailleurs valu une bonne dose de sable en plein visage en essayant de *smasher* comme les Brésiliennes. Mauvaise idée.

Tandis que nous rêvassons, deux Canadiens nous interpellent. Ils ont reconnu notre accent, évidemment. Michael et Jack, de Vancouver, nous proposent de nous joindre à eux et leurs amis et de les accompagner à Mal Pais pour la soirée *surf 'n reggae* du Tabu Bar. Jack fait de l'œil à Steph et Michael pèse 100 livres, mouillé. Il n'a aucune chance. Je souris poliment.

Puisque Sancho n'a toujours pas fait jouer notre toune et que la disco commence à être surpeuplée de touristes américaines soûles et bruyantes, nous acceptons volontiers. Nous n'avons d'ailleurs aucune réserve à l'idée d'embarquer sur le toit de la camionnette pleine à craquer et de retourner à Mal Pais le temps d'une chaude soirée. En roulant en deuxième sur une route de terre bosselée avec quatre personnes sur le toit, nous mettons une bonne heure pour nous y rendre. Pour passer le temps et mieux composer avec les bosses qui frappent nos petits derrières, nous chantons à tue-tête des chansons à moitié, parce que nous ne sommes jamais foutus de nous rappeler des paroles. Aussi dégradant que divertissant.

Au Tabu Bar, le ciel est sans nuages et une petite brise adoucit la chaleur des tropiques. Le bar est littéralement sur la plage, la foule est belle, souriante et sur la même paisible longueur d'onde que nous. La trame sonore résonne les vacances avec la discographie de Bob Marley en boucle. Je m'occupe de la première tournée de rafraîchissements. Pendant que je fais des pieds et des mains pour attirer l'attention du barman bohème en pantalon de lin, Steph me fait signe.

— Hey, Elsie! J'ai mis le grappin sur un Portugais.

— Quoi? Tu es pas sérieuse?

Cette fascination pour le Portugal, le portugais... Soyons francs, les Portugais. Ça doit être leur sang chaud, leur langue qui m'a toujours semblé plus mystérieuse que les autres grands classiques d'origine latine. Bien avant Guillaume, quand j'étais petite, j'avais un ami portugais dans ma classe au primaire, Filipe. Mon premier coup de foudre. Cette année-là, je n'ai jamais mis autant de temps à peaufiner mes lulus, à choisir les bonnes chaussures agencées avec mes jolies robes. Il était d'une galanterie, même à 10 ans. Faut croire qu'ils ont un gène uniquement consacré à ça. Il me gardait toujours une place à la cafétéria, partageait toujours ses *pastéis de nata* maison (pâtisserie portugaise de renom) avec moi et me choisissait toujours en premier lorsqu'on faisait les équipes dans les cours d'éducation physique, même si je n'avais pas plus de talent pour les sports d'équipe à cet âge-là. Un mandat de son père à l'étranger nous a séparés trop tôt et mon cœur a ainsi conservé un intérêt, pour ne pas dire une obsession, pour la culture portugaise et particulièrement pour sa gent masculine. Les Québécois n'ont jamais su les atteindre à la cheville.

Mes deux bières Impérial à la main, je rejoins Steph, totalement intriguée de rencontrer ce fameux Portugais qui parle un excellent français. Daniel, originaire de Peniche au Portugal, a habité en France et en Suisse avec sa mère, avant de traverser aux États-Unis, chez son père, à Indianapolis. Il vient de terminer sa dernière année de médecine avant sa résidence et a décidé tout bonnement de venir suivre une formation supplémentaire en médecine tropicale, parce qu'il n'est pas satisfait de ce qu'il a appris à ce sujet pendant ses études. Un joli (lire vraiment *hot*) scientifique, qui sait prendre les devants quand il veut quelque chose et aime voyager en plus. Un regard, un sourire… Magie. Comme si le temps s'arrête un instant, que nous sommes seuls au monde tout d'un coup. Le cœur me débat pour la première fois depuis Guillaume.

La bière de soif étanche la mienne et en nous approchant encore de la mer, le son des vagues l'emporte sur celui de la boîte de nuit. Les yeux pétillants, Daniel a bien évidemment le don de me regarder profondément, encore plus profondément que Filipe à 10 ans. Heureusement. Est-ce l'euphorie du voyageur ou une réelle intensité? Les gens autour de nous semblent flous, au ralenti, et personne ne peut entrer dans notre bulle. Je regarde chacun de ses traits, ses yeux foncés, ses grands cils, ses dents impeccables, la toute petite cicatrice sur son menton. Je prends en note chaque détail de son visage à couper le souffle, comme si j'espérais me rappeler de lui à jamais. Son t-shirt vert lime mis à l'envers qui met son beau teint basané en valeur. Je peux quand même décoder l'inscription *Southern Indiana* en dessous. Je me pince. Les gens autour dansent pieds nus sur la plage, ils tentent par tous les moyens de faire un feu et viennent enfin de finir de rouler leur joint. Nous nous en foutons, nous sommes là, un peu à l'écart et nous comptons bien y rester, pour le reste de la soirée du moins. Il me parle de son parcours, de ses ambitions. Je fais de même et à la moindre hésitation, il me comprend.

— C'est vraiment super la traduction, tu parles combien de langues, alors? me dit-il.

— Trois seulement. Je maîtrise le français et l'anglais et je me débrouille un peu en espagnol. C'est tout.

— Et pourquoi pas portugais, alors?

— Je sais, c'est proche de l'espagnol et j'avais un ami portugais quand j'étais petite, mais il a quitté le pays quand j'avais 10 ans. Je m'y mettrai peut-être un jour, qui sait?

— Je t'apprendrai. Tu vas voir, c'est assez simple.

— Avec plaisir!

Pourquoi me parle-t-il au futur?

Considérant le temps à mettre pour rentrer à Montezuma et l'heure à laquelle nous devons nous lever demain matin, la soirée doit se terminer tôt, pour ne pas dire tout de suite. Trois heures, c'est bien peu dans un voyage. C'est encore beaucoup moins dans une année, dans une vie. Dans mon cas par contre, c'est assez pour faire chavirer mon cœur, comme jamais il n'a chaviré auparavant.

— Attends, tu ne peux pas partir si vite? me chuchote-t-il à l'oreille en effleurant mon cou avec ses tendres lèvres.

— Je sais, c'est vraiment dommage, mais je dois rentrer à Montezuma.

— Mais tu iras demain à Montezuma. Passe au moins la nuit ici, c'est trop court trois heures.

— Je le sais. Mais notre bus part à 7 h demain matin. C'est pas l'envie qui manque, crois-moi. On s'écrit?

Michael, Jack et Steph m'attendent impatiemment, comme si la camionnette allait se transformer en citrouille. Sans même un seul bisou, je pars à la course comme Cendrillon avec comme seul souvenir de guerre le courriel de Daniel, gravé dans ma mémoire.

Je ne chante pas sur le chemin du retour. Je pense tout le long.

Je ne dors pratiquement pas de la nuit. Je fixe les étoiles et je songe à ce que je viens de vivre. Le lendemain matin, la route, le traversier et l'autre route vers Monteverde me permettent de penser, encore et encore. Qu'est-ce qui s'est passé hier? C'est moi ou il y avait vraiment quelque chose de spécial entre nous deux? Je voudrais que Steph m'accompagne dans mon semblant de rationalisation, mais elle a d'autres occupations pressantes et inconfortables, surtout quand on est en autobus en Amérique centrale, que les toilettes se font rares et que les routes accélèrent de façon fulgurante le transit intestinal.

Une fois rendues à la montagne verdoyante, plus de plage, moins de soleil et encore moins de Daniel. Paf! Ça me frappe de plein fouet. Je suis accro. Accro à cette personne qui est née au Portugal, a habité en Europe, puis aux États-Unis et qui s'est retrouvée au même endroit que moi, au même moment, dans ce petit village perdu au Costa Rica. Ce genre de trajectoire de la vie me fait halluciner parfois. Tout le temps. Bien au-delà de ça, il y a cette foutue connexion qui, ma foi, n'a rien à voir avec ce que je ressentais pour Guillaume. Qu'est-ce qui cause ça, pour vrai? Est-ce seulement l'intensité du moment, potentialisée par tous les bénéfices du vacancier, pas de stress, pas de boulot, que du plaisir? Ça ne peut pas être que ça quand même. Des fois, j'ai l'impression que ce sont des effets spéciaux qui nous sont jetés dessus, comme un sort. Et s'il avait simplement eu envie d'une baise, il aurait pu se revirer de bord et aller faire la cour à n'importe quelle autre touriste dans le bar. Et il ne m'aurait pas parlé au futur. Et il ne m'aurait pas suppliée à ce point-là de rester. Qui sait, je viens peut-être de rencontrer l'homme de ma vie? Je nous imagine déjà parcourir le monde, lui, médecin sans frontières, moi, traductrice pour quiconque a besoin de faire traduire quoi que ce soit. À nous le monde!

****

Bruit de baloune qui dégonfle.

À mon retour à Montréal, c'était le début des festivals d'été. J'allais probablement croiser Guillaume marchant main dans la main avec Judith. Ils auraient sûrement l'air faussement heureux, à l'aise. Mal de cœur à constater tout ce calme plat.

Pendant que Daniel continuait son périple au Costa Rica, j'avais commencé à lui écrire. On s'est écrit régulièrement jusqu'à son retour, deux mois plus tard. Chaque fois que j'ouvrais ma boîte de courriel, je levais les yeux au ciel en suppliant le petit Jésus pour avoir des nouvelles de lui. Une fois sur deux, le petit Jésus m'avait entendue, et son beau petit nom apparaissait dans ma boîte de réception. Il me racontait ses aventures de camping à la belle étoile, ses tentatives de surf, et à quel point il était rendu bronzé comme une noix de coco. Tout ce qu'une fille rêveuse aime entendre. Tentative de séduction à part, j'avais du mal à comparer mon expérience avec Daniel à ma relation avec Guillaume. Celle-ci m'avait apporté à peine une parcelle de ce que je venais de vivre avec Daniel en seulement trois heures. Un véritable concentré de bonheur. Alors que je croyais connaître quelque chose de fort avec Guillaume, il était amoureux de Judith depuis le début. Un concentré de mensonge.

À travers nos correspondances, afin de conserver cette fameuse connexion, je lui ai proposé de venir le visiter à Indianapolis, juste avant qu'il commence sa résidence en médecine. Je me suis invitée chez lui, finalement. Dans la minute qui a suivi sa réponse positive, j'ai amplement eu le temps de réserver mon billet d'avion.

Les petits papillons dans l'estomac au moment de cliquer sur «réserver»... de la folie! Comme si c'était un rêve, un conte de fées, dans lequel tout est possible, dans lequel les histoires d'amour extraordinaires existent pour vrai.

Il restait une dizaine de jours entre le moment de la transaction et mon séjour spontané à Indianapolis. Assez de temps pour compter les dodos, aller chez l'esthéticienne, emmerder Steph tous les jours pour lui rappeler à quel point la vie était belle et si bien faite de nous avoir mis sur le même chemin, Daniel et moi. Ah! Et aussi rassurer ma mère en jurant que Daniel n'était pas un fou et qu'il n'y avait absolument aucun danger associé à mon geste totalement impulsif.

— Ouin, mom, c'est moi.

— Salut, ma grande. Quoi de neuf? Tu profites bien de ton été? Quand est-ce que tu viens prendre le thé à la maison?

— Oui, oui ça va. En fait, pour le thé, ça va devoir attendre un peu, parce que ben... Tu te souviens de Daniel? Tu sais le gars que j'ai rencontré au Costa Rica?

— Euh… Lequel?

— Ben voyons, mom, celui à qui j'ai parlé pendant trois heures, le Portugais, là.

— Ah oui, oui. Ouin… Qu'est-ce qu'il a?

— Ben, en fait… Je m'en vais le voir la semaine prochaine. À Indianapolis.

— Euh… Comment ça? Il t'a invitée?

— Ouin, non. C'est plus moi qui me suis invitée. Mais il est vraiment content que je vienne.

— Elsie, tu lui as parlé trois heures à ce gars-là. Tu ne le connais même pas. Il peut être le pire des fous, tu sais…

— Impossible, mom. Je vais juste aller continuer notre conversation un petit peu.

— Tu sais qu'il y a le téléphone pour ça?

— Je sais, mais mon billet d'avion est déjà réservé.

— OK, ma grande. Mais fais attention à toi. Dis-lui que ta mère peut être ben méchante si jamais il joue au pas fin.

— Oui, mom! Promis. Je t'aime!

Les quelques jours avant mon départ, Steph, tellement plus rationnelle que moi, a tenté tant bien que mal d'être une bonne amie et de ne pas trop péter ma bulle dans laquelle je berçais depuis notre soirée à

Mal Pais. Telle une vraie amie, elle serait aux aguets à mon retour avec des mouchoirs, du chocolat et des films de Tarantino sanglants dans lesquels il n'y a pas de pitié pour ceux qui déçoivent. Jamais.

****

Chapitre 2 : Daniel (chez lui)
Où ça? : États-Unis
Pourquoi déjà? : Aller voir plus loin

Le jour J, US Airways me fait passer par Philadelphie avant de pouvoir enfin revoir Daniel. Passer la douane américaine dans la vie, c'est long. Mais là, c'est comme attendre en file pour acheter des billets pour un spectacle de Madonna : interminable. Disons que les papillons que j'avais dans l'estomac en réservant mon billet d'avion ont eu le temps de se multiplier en masse et de migrer dans chaque cellule de mon corps.

À la sortie d'IND, Daniel doit passer me prendre en voiture. Mais là, quelle voiture? Et de quoi il a l'air lui, quand il n'est pas en mode vacances? Je ne m'attends quand même pas à le voir arriver en veston-cravate, mais je ne l'ai vu que trois heures dans ma vie. Devant chaque voiture qui arrive, chaque passant qui approche, je tente tant bien que mal de ne pas trop plisser les yeux en espérant le voir apparaître. C'est comme une immense lueur d'espoir qui vient et qui s'en va, accompagnée du sentiment de vertige qu'une montagne russe procure chaque fois que le manège vire à l'envers. Attendre… Chaque minute est plus longue que d'habitude. Comme si chaque seconde s'enraye en première vitesse, tel un apprenti conducteur manuel.

À l'étranger, je marmonne souvent en français. Puisque les gens autour de moi ne comprennent pas ce que je dis, je présume qu'ils ne m'entendent pas non plus. Finalement, ça ne m'arrive pas qu'à l'étranger.

— Voyons, qu'est-ce qui fait qu'il arrive pas? Peut-être qu'il viendra pas du tout.

J'ai envie de me ronger les ongles.

— Non là. Ronge-toi pas les ongles, ça va être laid pis tu vas être obligée de tout couper pour égaliser ta manucure.

Ça y est, la femme à côté de moi me dévisage.

Avec tout ce temps d'attente volontaire ou non de sa part, une pointe d'angoisse monte en moi. Je passe en mode histoire de peur. Et s'il a décidé, pendant mon envolée, qu'il n'a plus envie de me voir, qu'il préfère passer à côté de tout ça et retourner à sa vie normale. Ce qui est tout à fait justifiable, puisque nous ne nous sommes vus que trois heures et n'avons échangé que quelques courriels. C'est clair qu'il a la frousse. Les Portugais ne sont peut-être pas si différents des Québécois, finalement. Me reste plus qu'à repartir sur le prochain vol. Steph va me dire qu'elle m'avait prévenue, mais elle va m'aimer quand même.

Le temps de me formuler une autre angoisse bidon, je le sens me taper sur l'épaule et me présenter des fleurs. J'ai le sourire fendu jusqu'aux oreilles, le cœur coincé dans ma cage thoracique tellement il bat fort et, bien malgré moi, les mains moites. Mon système nerveux central doit bien se demander si je ne suis pas sur le point de sauter en parachute.

— Salut, la belle Elsie! Ça ne fait pas trop longtemps que tu es là, j'espère?

— Non, non. Tu sais, les douanes, c'est tellement long ici. Je viens à peine de sortir, dixit la fille qui était sur le point de se faire un massage cardiaque.

Ses fleurs viennent assurément de l'épicerie : des marguerites vaporisées de fausses couleurs vives. L'intention est là. Mais de toute façon, je pense qu'il m'aurait offert un mauvais café filtre de station d'essence que je l'aurais accepté avec le sourire.

— Je suis trop content que tu sois là. Tu veux que je porte ton sac? Mais, tu voyages léger, dis donc?

— Ah! Merci, c'est gentil. Je voyage léger, oui. C'est plus facile de plier bagage comme ça.

En roulant vers l'auberge de jeunesse, parce que nous n'allons tout de même pas dormir chez son père, je crois rêver. Je le regarde, je le trouve tellement beau et je suis là, à Indianapolis, à ses côtés. Je me pince. Ces petits moments-là me rappellent que je suis en vie et que ma vie n'est pas plate, après tout. Après avoir déposé nos sacs, nous allons, l'air heureux, manger dans un mauvais restaurant. Au menu : une salade iceberg glacée et fade baignant dans une marre de vinaigrette au fromage bleu, des petits pains luisants tellement ils ont été badigeonnés de graisse à leur sortie du four… Je m'en fous. Daniel est là, devant moi, les yeux dans les yeux. C'est à croire qu'une aura scintille autour de lui.

De retour à l'auberge, nous continuons à discuter, un verre de vin en plastique à la main, dans la chambre à trois lits superposés qu'on nous a assignée. Comme Don Juan en train de défendre son titre, il sort quelques chandelles de son baluchon pour rendre notre conversation digne d'une comédie sentimentale. Ça doit encore être son gène de galanterie qui prend le dessus. Vu la mise en scène, les autres occupants du dortoir nous recommandent fortement de prendre la chambre du sous-sol, isolée et sombre. D'où l'utilité des chandelles, évidemment.

Pour faire durer le plaisir, les préliminaires viennent au compte-goutte. De simples baisers le premier soir. Comme si je me retrouvais soudainement à l'école secondaire où tout allait si lentement et que c'était justement si bon. Nos visages collés l'un contre l'autre, nos lèvres qui se frôlent à peine, mais ne cèdent pas tout de suite. Seules nos expirations s'entrelacent, tant et aussi longtemps que l'un de nous ne succombe pas à la tentation. Je ferme les yeux. Je sens mieux son odeur, la chaleur de son souffle qui chatouille mon visage. Je capte le moment présent et je l'immortalise dans ma tête. Je le touche, ses épaules parfaites, son dos, jusque dans le creux de ses reins. Comme si j'espérais que le bout de mes doigts se souvienne de son corps pour toujours.

Je suis celle qui cède. Mais je cède lentement. Ma joue toujours collée contre la sienne, je tourne mon visage sur le côté pour déposer mes lèvres sur sa joue gauche. Puis, sur sa joue droite, en frôlant ses lèvres au passage. Une chaude expiration caresse mon visage. Je ferme les yeux, je fonds. Puis j'abandonne. Je pose mes lèvres sur les siennes, doucement, puis sur une de ses pommettes, et je faufile mon nez derrière son oreille pour capter encore mieux son odeur. J'inspire profondément. Il profite alors de l'occasion pour m'embrasser dans le cou, du côté gauche, le plus érogène. Une vibration parcourt mon corps, tel un choc électrique. Une décharge enivrante que je voudrais faire durer toute la nuit.

Passer la nuit en cuillère à tenter de faire durer le plaisir sans passer à l'acte trop rapidement, c'est de la torture. Je ne ferme pas l'œil une seconde. Je me fais plutôt des scénarios de vie avec lui. Il pourrait venir faire sa résidence en médecine au Québec. Ce qui serait certainement le pire choix de sa carrière, mais dans mon scénario, ça fonctionne. Je pourrais aussi aller le rejoindre quand il fera un stage dans un pays en développement. Parce qu'ils ont tellement de temps libre, les résidents, de toute façon.

Même si les rayons de soleil ne se rendent pas jusqu'au fond de la cave, les effluves du mauvais café filtre venant de la cuisine me tirent tout de même hors du lit. Je me sers une tasse, je mets beaucoup de lait et plus de sucre que d'habitude pour essayer d'oublier que je bois de l'eau sale. En boule sur le divan en *patchwork*, je regarde les affiches de films sur les murs : *Clockwork Orange*, *Scarface*, *Pulp Fiction*, une ribambelle de clichés. Un peu intense au réveil, tout ça. J'écarte les stores jaunis par la fumée illicite, et jette un coup d'œil dehors pour observer le quartier. Pas très charmant. Indianapolis, c'est beige. Des ruelles sans éclat. Beige. Mais j'essaie encore une fois de noter tous les détails pour me rappeler cet instant le plus longtemps possible : un tricycle en plastique déteint par le soleil, un tas de vieux tapis de couleur orange brûlée tout droit sortis des années 1970, deux garçons qui se lancent une balle de baseball. Je m'ennuie déjà de lui.

Je ne termine pas mon mauvais café, froid. Je me passe la soie dentaire, me brosse les dents et me gargarise avec une bonne dose de rince-bouche pour éliminer toute possibilité d'haleine de café ou pire, d'haleine du matin. Et si ça assassinait toute parcelle d'affinité entre nos deux êtres supposément connectés? Je me souffle dans la main pour m'assurer que tout est beau. Je sens propre. Presque trop. Je bois un verre d'eau pour diluer les résidus de rince-bouche. Il ne faudrait pas que j'aie l'air de sortir de chez le dentiste, quand même. J'inspire et je retourne me glisser sous la couette. Je pose mes lèvres sur le front de Daniel, avant de me coller à nouveau contre lui.

Nous faisons la grasse matinée dans un sous-sol humide, surtout utilisé comme entrepôt par le tenancier de l'auberge. La classe. Jusqu'à ce que l'odeur de moisi nous sorte du lit et que nous décidions enfin de partir à l'aventure, de nous amuser à Indianapolis comme si c'était une destination des plus exotiques. Daniel est là. Rien n'est beige avec lui.

Je regarde autour de moi et, qu'on se le dise, Indianapolis, à moins de capoter sur le football américain ou la course automobile, ça n'a rien de très excitant. Ville assez industrielle, tout semble éloigné de tout, ici. Ça prend facilement trente minutes en voiture chaque fois que nous voulons aller quelque part. Mais bon. Je suis là, avec lui. Je pourrais avoir les deux pieds dans la gadoue et je réussirais tout de même à garder le sourire.

Un long tour d'auto plus tard, nous arrivons enfin à ce fameux parc du Indianapolis Museum of Art dont il m'a tant parlé la soirée précédente, avant de nous faire envoyer aux oubliettes dans le sous-sol humide. Nous nous baladons main dans la main dans le sentier qui contourne les centaines de fleurs. Un temps d'arrêt sur le petit banc pour nous embrasser passionnément, avant d'aller nous étendre sous le pommetier, le cœur léger.

— Tu ne peux pas savoir à quel point ça me touche que tu sois venue me voir jusqu'ici, dit-il avec ses yeux de chat.

— C'était plus fort que moi, je pouvais pas m'empêcher d'en savoir plus sur nous, de voir ce qui se cachait derrière cette soirée-là au Costa Rica.

— C'est vrai que c'était spécial.

— Spécial, tu dis? Je n'ai jamais rien vécu d'aussi fort. Toi?

— Ah ça! C'est sûr que non. Je n'ai pas tellement eu de copines, tu sais, avec mes nombreux déménagements et tout.

Deux âmes, un même état paisible, tout doux. Abracadabra.

Les rayons du soleil se faufilent entre les feuilles du pommetier et viennent se déposer sur nos visages heureux. Je ferme les yeux, je sens sa main glisser dans mes cheveux. Je me pince. Puis, je m'endors un peu, tout près de lui. Une pommette tombe tout près de son oreille, il sursaute et se blottit contre moi. Ça me réveille un peu, me fait sourire et me fait plonger tête première dans cette idylle amoureuse.

Un autre long tour de voiture plus tard, nous voilà enfin au musée pour enfants. C'est son idée. Son petit doigt lui a probablement dit que de partager nos meilleurs souvenirs d'enfance et d'être en compétition féroce dans un jeu-questionnaire pour enfants de 4 à 6 ans étaient d'excellentes stratégies pour aviver la rêveuse en moi. Un french à l'intérieur du tunnel tordu aussi.

Suis-je censée voir quelque chose qui cloche ici?

Dans cet élan de naïveté, je poursuis cette semaine de rêve. Prochain arrêt : *La marche de l'empereur* dans un cinéma de centre d'achats. Si romantique! Les fauteuils grincent, le tapis insulte mes allergies et le maïs soufflé a sûrement été fait la veille, avec du faux beurre en poudre. Je souris malgré tout. Je suis persuadée que Daniel aimera la trame sonore d'Émilie Simon autant que moi. Déception. La version anglaise du film opte plutôt pour une musique générique de documentaire. Je lui enverrai la version originale dès mon retour, pour qu'il se souvienne de moi, de ce si beau moment, inconfort et mal de coeur inclus.

En soirée, c'est le spécial bachata à la boîte de nuit The Red Room, sans doute la danse latine la plus sensuelle après le tango. Je joue à l'apprentie qui a vraiment besoin de se faire guider, avec l'aide incontournable de ses deux belles grandes mains et surtout de son bassin. Quelques cocktails et plusieurs faux pas, son petit doigt doit être encore dans le coup pour me faire craquer comme une gamine pâmée sur son instructeur de camp de vacances.

C'est possiblement la plus belle semaine de toute ma vie.

En rentrant à l'auberge de jeunesse, Daniel se prépare une de ses collations de fin de soirée préférées : des Grissols avec du similifromage Cheese Whiz.

— Tu me niaises? Tu comprends ce que ça veut dire «tu me niaises»?

— Pas vraiment, mais qu'est-ce que tu as contre l'*american cheese*?

— C'est dégueulasse. Tu comprends sûrement pas ce que ça veut dire dégueulasse. Bref, c'est pas pour rien que c'est du *american cheese*, tout a l'air faux. Ça goûte faux, la couleur est fausse, c'est une vraie fausse note culinaire.

— Ah! Tiens, moi je trouve que ça goûte chez moi.

À chacun son réconfort.

Ce n'est qu'après le troisième jour à Indianapolis, la troisième nuit, que Daniel ne s'arrête pas en haut de la ceinture. Toujours avec autant de finesse, tout se passe au ralenti : le moindre toucher, le moindre goûter déclenche une cascade d'excitation. Un long frisson parcourt tout mon corps, du bout de mes cheveux jusqu'à la pointe de mes orteils. Sa fameuse décharge électrique. Le sentir en moi pour la première fois me fait pratiquement tomber dans les pommes, tellement j'ai envie de lui, tellement je tremble de jouissance. Je le regarde au plus profond de ses beaux grands yeux et je ferme les miens pour photographier la scène dans ma tête. Ses épaules, comment pourrais-je oublier ses épaules lorsqu'il est sur moi et qu'il place ses bras à côté de ma tête? Difficile de ne pas en vouloir plus, de devoir composer avec la précarité de cette aventure. Et puis, c'est peut-être ça s'amuser à Indianapolis. Peu importe. Je ne peux pas m'empêcher de rêver à un futur avec lui. J'assume complètement ma naïveté, mon faux conte de fées, le fait que je flotte sur un nuage depuis mon atterrissage ici.

À tout moment du jour et de la nuit, nous parlons de tout ou pas du tout, puis nous nous regardons sans rien dire pendant de longues minutes.

Aucun problème à rester enrayée en première vitesse comme ça. Et puis, il tranche.

— Elsie?

— Oui.

— Tu sais que tu es bien spéciale, toi?

— Ah oui? Comment ça?

— Il n'y en a pas beaucoup des filles comme toi.

— C'est mieux comme ça, non?

— Ouais, plus ou moins, quand on habite à des centaines de kilomètres l'un de l'autre…

Une pointe d'angoisse.

Et puis, à peine une toute petite semaine plus tard, voilà que mon couvre-feu sonne. Il est temps pour moi de rentrer, comme si cette fois-ci, c'était mon avion qui allait se transformer en citrouille. La réalité choque, me frappe de plein fouet, me donne un frisson dans le dos. Notre relation arrive à la date d'expiration. Cinq jours, c'est bien peu comme durée de vie.

Bam!

Mon vol est très tôt le matin. Daniel vient donc me déposer en plein milieu de la nuit. Nina Simone chante *Don't Let Me Be Misunderstood* dans la radio grésillante de sa vieille Honda Prelude. Ça ne fait qu'accentuer l'effet dramatique de la scène.

— Bon, et bien à la prochaine, jolie demoiselle!

Un bisou sur ses tendres lèvres.

— Euh, oui. Ben oui! Merci pour tout, bonne route et bonne chance avec ta résidence! (Arrête de parler, arrête de parler, fais juste passer les portes coulissantes et surtout ne te retourne pas.)

Seule sous les néons agressants d'IND, mes petits yeux en quête de noirceur, j'ai l'impression d'avoir viré une brosse tellement la fatigue m'accable. Je ne sais pas trop comment gérer ce que je ressens. Est-ce de l'amour qui s'installe déjà? Ou de la simple nostalgie d'un semblant de conte de fées qui vient de se terminer sans « ils vécurent heureux et eurent beaucoup d'enfants »? Trop d'émotions se bousculent en même temps et mon cœur décide de déléguer le tout au département gastro-intestinal. Ça y est, j'ai déjà mal au ventre. C'est toujours lui qui ramasse les pots cassés de toute façon. Mine de rien, ma bulle dégonfle un peu. C'est bien beau tout ça, mais que reste-t-il de nous? Quand vais-je pouvoir le revoir, le regarder sans dire un mot. Pour ma survie, ma bulle devra dégonfler pas mal, même.

Dans l'avion, je n'ai rien d'autre à faire que de penser à lui. Pas de film pour me divertir, ni de magazine à potins pour remettre les pieds sur terre et me dire que ma vie est beaucoup moins dramatique que celle de Jennifer Aniston. Le magazine SkyMall annonce une réplique d'une des statues de l'Île de Pâques grandeur nature pour le jardin, une veste anti-anxiété pour chat, une pince à *napkins* pour avoir l'air d'être chez le dentiste en tout temps. Je voudrais rire avec lui. Je me ronge un peu les ongles. Je me demande si la veste pour chat fonctionnerait sur moi. Je range le magazine dans la pochette devant moi. J'abaisse mon siège d'un quart de degré. Je me dis : c'est bon, je peux mourir en paix, maintenant. Je l'ai rencontrée, mon âme sœur.

Et si c'était tout le temps que je méritais avec lui? J'angoisse. Je ne reposerai jamais en paix.

****

À mon retour, j'ai écrit à tous mes clients en faisant semblant de prendre de leurs nouvelles, quand, au fond, j'espérais qu'ils me donnent assez de travail pour occuper tout mon temps et ne plus avoir une seconde pour penser. En fait, je pensais déjà tout le temps à Daniel, comme dans « chaque minute ». Je lui écrivais souvent aussi. Mais il prenait toujours plus de temps à me répondre. Et moi, comme Amélie Poulain dans son fabuleux destin, je m'imaginais encore des scénarios pas possibles sur les raisons rocambolesques qui pouvaient bien expliquer ces semaines de silence. Dans la série *Grey's Anatomy*, les résidents en médecine passent leur vie à l'hôpital. Ça devait être pareil pour lui, non? Il devait être tellement débordé, le pauvre. Et au lieu de me répondre en vitesse, il préférait attendre et prendre son temps pour rédiger ses réponses à mes courriels. Toutes ces raisons sont bonnes. Ça ne pouvait être que ça. Et puisqu'il finissait toujours par me réécrire, je conservais avec soin cette fameuse lueur d'espoir à laquelle on s'accroche trop souvent, celle qui nous donne raison de ne pas lâcher le morceau.

Pour lui, c'était sans doute une façon assez claire de me dire qu'il ne tenait pas à moi plus que ça. Un langage cordial, mais froid que je ne décodais toujours pas.

J'ai passé près de quatre mois à faire virevolter mon cœur de courriel en courriel. Et un jour, il m'a appelée.

— Salut, Elsie, c'est Daniel.

— Hey! Salut! Ça va? (Moins d'enthousiasme, moins d'enthousiasme…)

— Il faut qu'on se parle.

Un grand respire.

— Je t'écoute.

— Mes sentiments ne sont pas les mêmes que les tiens. Tu es vraiment une fille bien, très bien même. Mais le truc, c'est que je viens à peine de commencer ma résidence en médecine. J'ai déjà du mal à me voir dans une relation sérieuse avec quelqu'un ici, je me vois encore moins embarquer dans une relation à distance. Tu comprends?

— Bien sûr que je comprends. Ce que je comprends moins, c'est que tu aies attendu quatre mois pour me le dire clairement.

— Tu voyais bien que j'étais distant dans mes courriels, non?

— Oui, mais je voulais être patiente. Je savais que t'étais super occupé.

— Je pensais que c'était clair, ma distance. Jusqu'à ce que je réalise que tu en voulais plus que moi et malheureusement, je peux pas t'offrir ce que tu veux.

— OK… Je sais pas quoi dire.

— On garde quand même contact, mais moins souvent, disons?

— OK, ben… bye!

J'ai raccroché rapidement avant d'éclater en sanglots.

Coup de poignard, le cœur au malaxeur, encore un clin d'œil à Amélie

Poulain qui fond en flaque de larmes au moment où Nino s'en va. Voilà comment je me sentais.

Et le pire, c'est que je comprenais tellement son point. C'était même évident à des milles à la ronde dès le départ que ça allait se terminer ainsi.

Sur quelle planète je vis? Comment pouvais-je espérer qu'il se passe quoi que ce soit entre nous deux? Moi qui pensais qu'il ressentait la même chose que moi, l'un contre l'autre dans le sous-sol humide, sous le pommetier, les yeux dans les yeux, heureux sans rien dire. Et quand il me disait que j'étais si spéciale à ses yeux? Rien. Perte de repères, prise 2.

Les mois ont passé. Je n'ai pas arrêté de penser à Daniel. Je prenais le plus de piges possible, ce qui m'occupait l'esprit la plupart du temps. J'acceptais d'ailleurs de plus en plus de piges dans le domaine de la publicité, toujours à la dernière minute, donc pas mal plus payantes que la traduction d'un film. Les brunchs dominicaux avec les copines faisaient aussi partie de ma thérapie.

Amélie avait revu Simon la veille, pour la troisième fois. C'est lui qui l'avait rappelée et qui lui avait proposé d'aller manger chez Atma, le restaurant indien préféré d'Amélie, parce que le décor n'est pas douteux. Il gagnait des points, ce Simon. Pendant ce temps, Mélissa était allée dans un party, où elle avait vu sa *date* du mois précédent, qui ne l'avait jamais rappelée, au bras d'une gamine à peine majeure. Violaine, elle, s'était rendu compte que sa nouvelle fréquentation avait un casier judiciaire pour harcèlement. Comme quoi, je n'étais pas la seule âme en peine à table. J'en ai profité pour annoncer aux filles que j'avais décidé d'aller rejoindre ma cousine française en Thaïlande pour Noël.

— Wow! C'est malade, ça! Je me demande tellement comment tu fais pour partir tout le temps comme ça, m'a demandé Amélie, qui vit sa vie à crédit.

— J'ai pas de dettes, ni de voiture, ni de garde-robe griffée comme la tienne. Je me débrouille, lui ai-je répondu tout bonnement.

— En tout cas, essaie de te concentrer sur la Thaïlande, moins sur les gars un peu, m'a fortement conseillé Mélissa.

— Promis. De toute façon, j'y vais pour passer du temps avec ma cousine.

Chapitre 3 : Cyril
Où ça? : Thaïlande
Pourquoi déjà? : Couper l'hiver en deux

Ce matin de décembre est le jour de la première vraie tempête de neige. Il neige à un point tel que certains malins se déplacent en ski de fond sur les trottoirs. En déposant mon sac à dos dans la valise du taxi, j'ai de la neige jusqu'aux genoux. Mais je m'en fous, la Thaïlande m'attend. Une première pour moi en Asie! J'ai tellement hâte de manger du riz à la cuillère! Bon, je m'en fous un peu moins quand je réalise que me rendre à YUL me prend une heure et demie et me coûte 75 $ de taxi. Une fois arrivée, je suis bien heureuse quand la petite dame du comptoir d'Air Canada me suggère de prendre un vol qui part une heure avant le mien. J'arriverai donc plus tôt à Paris. Parfait! Je passe par Paris, plutôt que Vancouver, pour d'abord aller rejoindre ma cousine Axel, qui nous a déniché des billets pas chers avec nulle autre que la merveilleuse compagnie aérienne Emirates.

Dans l'avion, épuisée par ma saison de travail acharné pour essayer tant bien que mal d'arrêter de penser à Daniel, je m'assoupis. Je me réveille trois heures plus tard, pensant avoir manqué mon fabuleux repas en compartiments. Schnout! Mais non, nous sommes encore plantés à la porte d'embarquement. Il y a tellement de neige que l'avion ne peut pas reculer et encore moins décoller. Les ailes sont complètement givrées et tout le personnel sur la piste est en mode gestion de bancs de neige, comme s'ils n'avaient jamais pelleté de leur vie. Je lis le magazine *En route* au complet. Je regarde tous les produits à vendre à la boutique hors-taxe de l'avion. Je soupire. Je regarde par le hublot. Je soupire encore. Épouvantable. Nous n'allons jamais décoller d'ici. Et le passager d'à côté ronfle déjà. Misère. Je mets mes bouchons et je prie pour un décollage imminent.

— Mesdames et messieurs, ici l'agent de bord Patrick O'Neil. Merci pour votre patience. Le chemin vers la piste de décollage est enfin dégagé. Nous vous prions de ranger tous vos effets, d'éteindre vos appareils électroniques, de boucler votre ceinture, de redresser votre siège ainsi que la tablette devant vous. Nous devrions décoller sous peu. *An English message will follow.*

Mon Dieu, il y a un Dieu.

Un repas en compartiments, deux aller-retour aux toilettes miniatures, cinq verres d'eau sans glace et deux films de filles décevants plus tard, j'arrive enfin à Paris, ou sur Paris, c'est selon. Ma cousine à la bonne humeur inconditionnelle me drogue à la caféine jusqu'à notre départ pour l'Asie le lendemain matin. Je sens mon cœur qui palpite tout d'un coup.

Au comptoir d'Emirates, à l'aube, mon sac pèse un gros 6 kg. La préposée est sur le point de manquer de souffle.

— Vous êtes certaine de n'avoir rien oublié, Mademoiselle? me dit-elle, l'air surprise par la légèreté de mon bagage.

— Oui, Madame! C'est ma stratégie pour revenir plus lourde.

L'idée de découvrir l'Asie pour la première fois est nettement plus efficace pour me faire penser à autre chose qu'à Daniel; mieux que n'importe quels amuseurs de rue, feux d'artifice ou nouveau manège. En plus, Axel me console en me disant qu'un de ses amis français avec qui elle travaillait en Angleterre vient d'être transféré à Sydney et s'emmerde un peu. Au lieu de passer le temps des fêtes seul, il viendra nous rejoindre dans le sud du pays.

Un Français, ce n'est pas un Portugais, mais j'apprécie la bonne intention.

Les vraies vacances commencent à bord d'Emirates. Non, mais... La couverture en cachemire, le menu de l'envolée soigneusement décrit comme au resto, les vraies lingettes d'eau chaude pour se laver les mains; rien de moins pour la classe économique. Et les hôtesses sont si jolies avec leur chapeau rouge lié à leur épaule droite par un fin tissu de couleur ivoire. J'ai toujours admiré l'élégance des hôtesses de l'air. Quand je vois mon premier repas arriver avec du saumon fumé, de l'agneau halal et une mousse au chocolat noir et menthe fraîche, je me dis que je suis bien loin des compagnies aériennes nord-américaines.

En transit à DXB, c'est sur l'air d'une musique arabico-lounge que nous atterrissons paisiblement dans ce pays-ville-carré de sable. L'aéroport est muni d'horloges Rolex, les femmes sont gracieusement voilées et les hommes, drapés. Je me sens soudainement nue en t-shirt. Au diable la transpiration, nous enfilons nos vestes et les fermons jusqu'au cou.

En attendant notre prochain vol à la porte d'embarquement, j'ai déjà hâte de voir le prochain menu.

— Qu'est-ce que tu prédis comme plat dans l'avion? demandai-je à Axel qui s'amuse à déterminer l'origine des voyageurs qui passent.

— Je prédis... du caviar!

— Ah non! J'aime pas ça, le caviar! C'est juste bon parce que c'est rare. Moi, je prédis, pour ne pas dire j'espère, du filet mignon saignant et de la crème brûlée pour dessert. J'exagère, hein?

— À peine. Tu vois le grand, là-bas, avec la veste kaki?

— Oui. Ne me dis pas qu'il est Allemand?

— Oh! Non, ma petite dame. Il est Néerlandais; plus grand, moins baraqué qu'un Allemand. Je reviens. Je vais aller faire la file derrière lui au *Duty Free* juste pour zieuter son passeport.

Éclat de rire en solo. Je la regarde au loin, elle pose un regard subtil sur le passeport de l'inconnu possiblement néerlandais.

Elle se retourne vers moi en souriant et en mimant : *yeah*! un peu trop fort. Je l'adore.

Finalement, nous avons dormi pratiquement tout le long de notre deuxième vol. Assoiffées et un tantinet affamées par notre trop longue sieste, nous nous sommes retrouvées à manger les repas restants : le plateau végétarien. Encore des pâtes au fromage. Au moins, les pâtes n'étaient pas trop cuites. Miracle!

En atterrissant à BKK sur le même air arabico-lounge, le décor change complètement. Il fait nuit, nous avons beaucoup trop dormi et ça grouille ici. De nouveau en t-shirt, la chaleur nous accable tout comme l'omniprésente odeur de gaz. Le temps de prendre nos bagages et nous accable tout comme l'omniprésente odeur de gaz. Nous prenons le taxi jusqu'à notre hôtel que nous payons sûrement trop cher. Mais bon, la conversion des bahts en dollars canadiens rend toujours la transaction moins dramatique que ça en a l'air. La ville est agitée, même à minuit un mercredi. Ça doit être ça, l'Asie.

Arrivées à l'hôtel, nous posons nos sacs, je regarde les produits offerts dans la salle de bain. Rien. J'en sors bredouille et m'installe près de la fenêtre pour réaliser que je suis ici.

— Wow! C'est beau l'alphabet thaï qui scintille partout. T'as vu ça, Axel?

— Ouais, et tu sais qu'ils attachent presque tous les mots d'une même phrase ensemble?

— C'est vrai? C'est comme ma mère quand elle m'envoie des textos.

— Ah! Elle est trop mignonne, ma tante, avec la techno.

Le lendemain matin, j'ai droit à mon premier petit-déjeuner avec du riz. N'étant pas vraiment rendue là à 8 h du matin, je me résigne à ne manger que des fruits.

C'est notre seule journée à Bangkok avant de monter au nord du pays. Nous optons pour le traditionnel tour en *tuk-tuk* au rabais, sous prétexte que c'est une fausse fête nationale. Nous convertissons le prix en dollars canadiens : ça ne coûte presque rien. Nous montons donc à bord de ce véhicule broche à foin sur trois roues. Sans ceinture ni grande protection dans le trafic, je me dis que je ne suis pas obligée de tout raconter à ma mère à mon retour. Les tailleurs font des complets sur mesure pour des pinottes, il y a des offrandes à Bouddha dans tous les quartiers de la ville, et la bouffe de rue est aussi douteuse que délicieuse. Nous nous laissons porter d'attrape-touriste en attrape-touriste le temps d'une journée. Et ouste, au nord!

En une semaine aux environs de Chiang Mai, nous ne jouons pas tellement plus aux aventurières. Des cours de cuisine thaïe un peu trop épicée à la balade à dos d'éléphant, en passant par d'innombrables visites dans les temples bouddhistes, Axel semble avoir besoin d'un peu plus d'encadrement que moi et préfère se fier au *Lonely Planet* à la lettre. En passant devant le bouddha doré, le bouddha orné de fleurs et le bouddha de notre chambre à coucher, je ne peux pas m'empêcher de le prier de faire en sorte que je n'aie pas trop d'autres déboires amoureux, comme celui que je viens de vivre avec Daniel. Je lui promets même que je ne tuerai plus aucun insecte qui surgit tout le temps dans mon appartement. Parole d'honneur.

Armée d'un bracelet de ficelle béni par un moine, Elsie contre-attaque les peines d'amour! Bruit de superhéros de dessins animés. Nous pouvons maintenant piquer vers le sud pour une séance de bronzette extrême. Après avoir essayé de comprendre et de bafouiller quelques mots thaïs, nous nous consolons souvent avec les plats typiques et la bière locale. C'est d'ailleurs ici, à Phuket, un genre de *Red Light district* thaïlandais, que nous rencontrons finalement Cyril. Comme tout bon Français qui se respecte, il chiale sur l'hôtel que nous avons choisi, sur les Thaïs, le code de la route inexistant... Il chiale tout le temps.

— Non mais, Axel, tu peux me dire qui a choisi cet hôtel de merde? s'exclame Cyril, si accueillant.

— C'est pas Axel, c'est moi. C'est le seul hôtel cinq étoiles dans le coin et c'est bien parce que tu voulais rien d'autre. Si c'était juste de nous, on aurait choisi l'auberge de jeunesse de l'autre côté de la rue. Qu'est-ce qui peut bien t'incommoder dans ce paradis?

— Je sais pas, il y a même pas de coffre-fort dans la chambre. Et le mec à la réception, j'ai trop de mal avec son accent.

— Et toi, quand tu parles anglais, viens pas me dire que tu as pas d'accent? Et si tu essayais de parler thaï sans accent?

L'horreur.

Une chance que nous ne restons qu'une seule nuit ici avant d'aller vers la mer d'Andaman, où nous aurons de jolies cabanes au bord de la mer pour le reste de notre séjour. Reste à voir la mine de Cyril lorsqu'il réalisera qu'il n'y a pas de clim ni d'électricité, de 6 h du matin à 6 h du soir.

Regard malicieux.

L'ensemble de ses traits esquisse un air malheureux, les yeux d'un petit chien piteux, les commissures des lèvres qui tendent vers le bas… Un éternel insatisfait. Et puis Cyril, y a-t-il un nom qui sonne plus français que ça? Ça sonne premier de classe, chouchou de tous les profs, le petit fatigant qui sait toujours tout. Je ne vois vraiment pas comment ma cousine a pu s'imaginer un quelconque point en commun entre nous. Ce n'est pas peu dire, il est venu passer cinq jours en Thaïlande avec une valise à roulettes d'une taille parfaite pour une famille, au complet, en vacances quelques jours dans le Maine. Il doit bien avoir quatre fois plus de vêtements que moi et même pas de gougounes. Je sais que je voyage ultra léger, mais il y a toujours des limites.

Dans mon baluchon, je n'ai qu'une paire de gougounes, trois camisoles, deux pantalons de lin et un seul et unique bikini. Il va devoir s'y faire. Malgré mon air bête insinuant que ce n'est quand même pas un Français chiant qui va venir gâcher mes vacances en Thaïlande, je semble tout de même l'émerveiller. Je ne comprends rien de rien.

— C'est fou ce que tu ressembles à Scarlett Johansson. Tu dois te le faire dire tout le temps, me dit-il, l'air soudainement enthousiaste.

— Euh, pas vraiment, non. Genre jamais. Tu as remarqué mes cheveux aussi noirs qu'une Amérindienne? Et en passant, j'ai de plus petites lèvres et d'encore plus petits seins qu'elle. La pointe du nez légèrement retroussée, je veux bien et les pommettes, peut-être. C'est tout un compliment, mais tu es vraiment dans le champ.

Alors que ses compliments ne cessent de défiler l'un après l'autre, il n'en reste pas moins que Cyril conduit une voiture avec un moteur V6 et que j'utilise les transports en commun. Il voyage toujours en classe affaires et trouve le moyen de se plaindre qu'il a mal dormi, alors que je prends des

Gravol pour dormir en classe économique et me la ferme. Malgré le fait qu'il réussit quand même à me faire sourire, je continue à le trouver fatigant.

Et puis de toute façon, je pense encore à Daniel.

Une fois rendus dans nos cabanes au bord de la mer d'Andaman, la plage, le poisson du jour et les rhums au lait de noix de coco fraîchement coupée sont la routine qui anime la plupart de nos journées.

Lève-tôt que je suis, je sors souvent de notre cabane à l'aube pour lire, écrire, admirer le lever du soleil évidemment plus hallucinant ici que n'importe où ailleurs en ce moment. Cyril, restant seul dans une cabane à l'autre bout du complexe, vient me rejoindre tous les matins. Nous prenons notre petit-déjeuner sur la plage, composé de tous les fruits qui ne goûtent rien chez nous.

— Tu aimes la papaye? me demande Cyril en chialant, encore.

— Oui. J'adore. Et là, il est même pas 8h du matin. Peux-tu me laisser manger ma papaye en paix, s'il te plaît?

— Ouiche.

Parce qu'en plus de chialer, Cyril a cette manie de dire « ouiche », au lieu de oui, et d'ajouter les sonorités « dzzz » chaque fois que je prononce des mots commençant par les lettres « di » : dzzimanche, dzzifficile, dzzire…

— Mais qu'est-ce que c'est que ces « dzzz » que tu mets partout? J'adore ton accent! me dit-il l'air moqueur.

Il m'énerve.

Je soupire. Je lui tourne un peu le dos et je tente d'admirer la journée qui se lève tranquillement sur la baie. Je le regarde dans mon angle mort, il a le sourire fendu jusqu'aux oreilles. Je roule les yeux. Il sourit encore plus. Changeons de sujet.

Voilà que les denrées du jour arrivent au quai. C'est d'ailleurs ce qui nous sera servi plus tard ce midi et ce soir : du poisson « conservé » toute la journée à la température ambiante, à la grosse chaleur. Bof… Je n'aurai qu'à mettre un peu plus de piment et de jus de lime sur tout ça. Je suis si téméraire quand je veux.

Telle une adolescente, Axel se réveille enfin. Telle une adolescente, ça lui prend du temps pour se réveiller complètement.

— Tiens, tiens, la Axel. Tu as bien dormi? Je t'ai pas réveillée ce matin en me cognant le petit orteil sur le coin du lit en bambou, toujours?

— Pas du tout, cousine. Mmm, ce que je boirais un café.

— Laisse, je vais aller te chercher un thé et des fruits. Cyril, tu veux que je t'amène d'autres papayes?

— Mais, qu'est-ce que tu me fais là? Pas du tout, dzzz.

Il m'énerve tellement.

Puis, pendant qu'Axel prend sa douche, Cyril et moi partons faire un tour en bateau-taxi qui sent encore le poisson pas si fraîchement pêché que ça. Super. Malgré ses vêtements pratiquement exempts de froissures, je suis surprise de voir qu'il n'hésite pas à mouiller son pantalon pour que j'embarque sans tomber à l'eau.

— Allez, donne-moi ta main merde, si tu veux pas te retrouver à l'eau comme moi, me dit-il avec la plus grande politesse.

— Ben oui, ben oui. J'arrive. Mais des pantalons de lin, ça se roule mal.

— Et puis maintenant, pose ton dos contre moi, sinon tu vas te prendre des échardes de fou dans cette barque minable.

— Bon. Comme ça tu peux être gentil, même en chialant, toi?

— Ouiche. Dzzz.

Je souris un peu.

La mer est d'un de ces bleus, la pointe du bateau à moteur de tondeuse est magnifiquement décorée de tissus colorés, le soleil illumine mon visage, tout doucement. Je pense soudainement à Daniel, à la fois où nous étions si bien sous le pommetier. Je me ressaisis un peu. Bien sûr, j'aimerais mieux être dans ses bras à lui. Je ne peux quand même pas l'oublier si tôt. Ça lui enlèverait beaucoup trop d'importance. Et puis, je me raisonne. De toute façon, il ne veut rien savoir de moi, autant élargir mes horizons et accepter le bien d'autrui. Même si l'autrui n'a pas nécessairement besoin d'habiter à l'autre bout du monde, je dois admettre que le Français me fait un peu de bien. Il me donne une toute petite lueur d'espoir que peut-être, un jour, quelqu'un qui ne me tapera pas sur les nerfs saura me plaire à nouveau.

Pour le moment, je préfère me garder une petite gêne. Si je suis complètement honnête avec moi-même, je savais dans le fin fond que Daniel n'était pas au même niveau émotif que moi. Je ne voulais simplement pas voir la vérité en face, parce que ça aurait voulu dire que je n'avais pas raison d'y croire. Même dans le tort, je suis encore loin de décrocher.

Il y a de ces hommes qu'on n'oubliera jamais.

Ne sachant pas trop quoi faire de la tendresse de Cyril, je la prends pour ce que c'est : du divertissement éphémère. Le fait qu'il soit simplement de passage me protège, ça me rappelle de ne pas m'attacher à lui. J'ai eu trop mal avec Daniel. Je ne peux quand même pas me refaire ça. Et puis, Cyril ne me plaît même pas.

— Elsie? Je ne sens plus mon bras.

— Ah oui, pardon. Attends, je vais m'asseoir sur le petit banc pour le retour.

Nous rejoignons Axel pour le dîner de poisson un peu moins frais. Pendant que Cyril discute inlassablement de foot avec le serveur, je fais signe des yeux à Axel que la plage nous attend, maintenant.

Le soleil. Il doit bien faire -1000 °C à Montréal à cette heure-ci. Au diable le déneigement, les soupers de famille interminables, le bout de mes orteils qui ne se réchauffe jamais… Le reste de la journée s'annonce sur la plage, à flâner, aller se baigner dans l'eau chaude comme du café, se laisser sécher au soleil, puis recommencer.

Le lendemain, le jour de Noël, il fait au moins 40 °C à l'ombre des cocotiers. Nous décidons d'aller faire un tour du côté de Tonsai. Un faux sapin orné de beaucoup trop de guirlandes brillantes démontre que les Thaïs, majoritairement bouddhistes, sont si accueillants qu'ils sont même prêts à mettre une telle atrocité à l'entrée de leur commerce pour faire plaisir aux touristes. Au-delà des ornements, même les classiques de Noël retentissent dans les haut-parleurs. Disons que manger de la crème glacée sur une plage de sable blanc en écoutant *Jingle Bells*, c'est assez cocasse comme façon de célébrer Noël. Quand j'y pense, ce n'est pas tellement plus bizarre que Chevy Chase qui déroule de la ouate sur son toit pour imiter la neige dans *Christmas Vacation*.

Haussement d'épaules.

Pendant qu'Axel poursuit sa conversation de charme stratégique avec le Suédois rencontré dans le bateau-taxi de ce matin, Cyril ne lâche pas le morceau et m'invite à aller faire un tour de kayak en plastique. Ceux qui se louent à la demi-heure et qui sont extrêmement stables sur l'eau. Bien que je doute de l'intérêt véritable de Cyril pour le plein air, j'embarque et me laisse bercer par la mer et éblouir par le paysage digne d'une carte postale.

— Tu as déjà pensé venir en Australie? me dit-il, l'air presque joyeux.

— Ouin. J'avoue que ça doit être cool de croiser un kangourou sur la route au lieu d'un chevreuil.

— C'est ça, ouais. Sans blague, tu sais que si tu as envie de venir, j'ai un superbe *flat* avec une vue impressionnante sur l'Opera House.

— C'est gentil. Mais je sais pas si je pourrais supporter ton chialage très longtemps!

— Chialage? J'adore ton accent, franchement, c'est trop mignon.

Soupir. C'est à n'y rien comprendre.

Tout en continuant de pagayer et en laissant Cyril marmonner quelques déceptions à l'arrière de l'embarcation, je me mets à penser à mes points de repère amoureux. Si je ne veux pas reproduire le même scénario qu'avec Daniel, je ferais mieux de tenir mon bout fermement. Je ne tomberai pas sous son semblant de charme. Je n'irai pas en Australie pour le voir. Je ne me ferai pas avoir. Bon.

Les cinq jours de vacances de Cyril sont vite écoulés. Il rentre à Sydney le lendemain, quelques jours avant notre départ. Surtout par politesse, je lui laisse mon courriel, mais je n'ai pas vraiment l'intention de garder contact avec quelqu'un qui passe la majeure partie de son temps à se plaindre le ventre plein. Sa galanterie n'est pas de refus, mais il habite à l'autre bout du monde et conduit un pollueur. Franchement!

****

En transit de quelques jours en France, j'avais déjà reçu un courriel de Cyril qui me souhaitait bonne année. J'ai trouvé ça gentil. Point.

De retour à Montréal, il faisait effectivement -1000 °C, comme je me l'imaginais. Pendant ce temps, c'était l'été en Australie et Cyril prenait beaucoup, beaucoup de plaisir à me rappeler à quel point il faisait beau et chaud *down under*. Parce qu'évidemment, il avait continué de m'écrire. Puis, au fil des semaines, il a commencé à se pointer plus tôt au travail pour converser virtuellement, jusqu'au jour où il m'a appelée de son bureau. Son lancer de fleurs a repris de plus belle. Je roulais les yeux souvent, mais je me surprenais à sourire de temps à autre.

Après deux mois de conversations quasi quotidiennes avec l'autre bout du monde, je n'avais toujours pas flanché. J'étais simplement un peu plus contente que la journée finisse, disons. Juste un peu. Après tout, à travers cette ondée de compliments, il me faisait rire. Il me faisait éclater de rire, même à présent.

Un matin, j'ai trouvé ce message-là dans mes courriels :

Ma belle Elsie,
Je voulais simplement que tu saches à quel point je t'admire. J'admire la personne que tu es et aussi ta façon de vivre ta vie, d'être libre. Tu es certainement la plus merveilleuse femme que je connaisse. Le simple fait de penser à toi me fait sourire. Il est

difficile de prédire l'avenir, mais chose certaine, tant que tu resteras dans ma vie, tout resplendira. À plus, Cyril dzzz xoxo

C'est à ce moment-là que j'ai commencé à flancher. Il était temps de me confesser aux filles.

— Bon, vous savez le Français, l'ami de ma cousine qui est venu nous rejoindre en Thaïlande? Ben, on se parle vraiment souvent.

— OK… Vous parlez de quoi? m'a demandé Amélie, l'air coquin.

— De plein d'affaires. C'est vraiment bizarre. En Thaïlande, il me gossait tellement! Tu sais, le Français typique qui arrête pas de chialer?

— Ouin, et là quoi, il chiale plus? a dit Violaine, l'air de ne rien comprendre.

— Non, non, il chiale encore. Mais il me fait rire sans bon sens et il m'inonde de compliments à longueur de journée. Comme s'il voyait en moi tout ce que j'aurais tellement aimé que Daniel perçoive. Il est tellement pas mon genre. Mais en même temps, je me dis que je dois m'ouvrir à ceux qui me démontrent vraiment leur intérêt et éviter de m'acharner sur des gars qui veulent rien savoir de moi.

— Je comprends, mais encore faut-il que tu sois intéressée. Tu peux pas t'intéresser à lui juste parce que tu lui plais, a ajouté Mélissa.

— Je sais ben. Pour le moment, ça met du soleil dans mes journées. J'ai toujours hâte que la journée finisse, que ce soit le matin pour lui et qu'il se connecte sur le *chat* au travail.

— Écoute, vas-y comme tu le sens, Elsie. C'est important de suivre son *feeling*, m'a dit Amélie.

Mon *feeling*? Est-ce qu'il me mentirait, mon *feeling*?

Une chose était sûre, le fait de converser autant et aussi souvent laissait beaucoup de place à l'intimité. Rapidement, nous sommes plongés dans des séances de cybersexe, comme je n'aurais jamais imaginé avoir avec quelqu'un que je connaissais si peu. C'était assez osé de partager mes fantasmes avec quelqu'un que je n'avais jamais embrassé. On s'imaginait des scénarios de fou : une scène de baise torride sous l'orage à la plage, dans les toilettes d'un restaurant huppé, sur la banquette arrière de sa grosse voiture stationnée sur le bord de l'autoroute alors que tous les passants pouvaient nous voir. Même s'il n'avait encore jamais vu mes seins, il connaissait chacun de mes désirs les plus fous, ce qui m'excitait au plus haut point, ce qui me faisait jouir à tout coup, et ce, même s'il était à des milliers de kilomètres de moi.

Pendant ce temps, Daniel se dissipait tranquillement de mes pensées.

Après une autre saison de travail, je ressentais déjà l'envie, voire le besoin pressant de partir. Cyril, qui me travaillait depuis janvier, a fini par m'avoir à l'usure en m'offrant de tout me payer sur place si je payais le billet d'avion. Laisser la chance au coureur. J'ai succombé à la tentation, pardonnez-moi Seigneur, et j'ai cliqué une fois de plus sur « réserver » sur le site qui m'offrait le meilleur prix pour un aller-retour YUL-SYD. Encore une fois, je partais dans deux semaines. Ça me laissait le temps de terminer les contrats sur lesquels je travaillais, d'aller chez l'esthéticienne et d'assurer à Steph, devenue ma coloc entretemps, qu'il était différent, lui. Il ne voulait que ça, être en relation avec moi. À noter que la portion Montréal-Sydney de la situation en cours n'était plus du tout une contrainte pour moi. Après tout, il était bien vrai que j'avais toujours rêvé d'habiter ailleurs. Sinon, il y avait une succursale de la compagnie pour laquelle Cyril travaillait à Lachine, à même l'île de Montréal. Plein de solutions réalistes.

Mon trop-plein d'enthousiasme m'a tout de même valu une visite de ma tendre mère, son incontournable thé et son lot de biscuits Petit écolier en renfort.

— Mon Dieu, Elsie! Pourquoi c'est toujours toi qui te déplaces?

— Parce que j'ai besoin de bouger! Ça me fait voir le monde en même temps. C'est pas beau, ça?

— Oui, oui, mais disons que le motif est à remettre en question, tu trouves pas? Il me semble qu'il y a une leçon à tirer de ton histoire avec Daniel.

— Je sais ben, mais avec Cyril, c'est pas pareil. Il me veut dans sa vie, lui. C'est clair.

— Ouin. En tout cas, prends soin de toi, ma chouette.

— Promis.

Chapitre 4 : Cyril (chez lui)
Où ça? : Australie
Pourquoi déjà? : Y aller en ne payant que le billet d'avion

Ce jour J-là, j'hallucine. En parlant à Cyril le matin de mon départ, j'ai du mal à réaliser que je vais le revoir le lendemain. Me retrouver en face de celui avec qui j'ai scénarisé tous ces fantasmes, alors que je ne l'ai encore jamais embrassé m'excite autant que l'idée de cette destination qui m'attend à l'autre bout du monde, au sens propre et figuré. La fille en quête d'exotisme est ravie. J'ai donc joué à la bourse à ma façon, c'est-à-dire en essayant de trouver les billets d'avion avec le meilleur rapport qualité/prix. Cette fois-ci, je m'en suis tenue au prix et j'ai opté pour United Airlines. Un billet aller-retour à 1400 $ taxes incluses me paraissait trop difficile à battre.

Mon premier vol de YUL à ORD se tolère. Pas de changement de porte d'embarquement à ORD. Super. De ORD à SFO, ça devient de moins en moins confortable. Mais là, de SFO à SYD, c'est insupportable. N'étant ni grande ni large, je n'ai jamais eu l'impression d'être à l'étroit dans un modèle standard de siège d'avion. Et pourtant… Mes genoux sont collés dans le siège d'en avant, le dossier baisse à peine d'un degré et j'ai droit à la pire bouffe en compartiments au monde : du pain sec, de la margarine, du poulet avec des boules de gras, de la sauce visqueuse trop salée et un gâteau humide. J'ai envie de pleurer.

Par chance, j'ai rencontré un Canadien d'origine indienne à ORD qui me refile quelques chapatis préparés par sa mère. Sans lui, je serais probablement morte de faim en chemin. Et je tiens encore une fois à remercier Gravol pour la dose de réconfort synthétique qui me permet de dormir pendant presque toutes les 14 heures de vol. La beauté dans tout ça, c'est que j'arrive à Sydney presque fraîche et dispose, même à 6 h du matin, sans douche ni cache-cernes.

Contrairement à la simplicité volontaire de Daniel avec sa vieille bagnole, Cyril se fait payer sa voiture par la compagnie et il en est fier. Il m'en a même envoyé plusieurs photos au préalable. Je sais donc exactement quoi chercher en sortant de l'aéroport. Pas de temps pour l'angoisse ni pour les mains moites.

Impossible de ne pas remarquer sa grosse voiture sport rouge et Cyril, qui est là, avec la même pose que sur toutes ses autres photos. Un de ces moments aléatoires qui transforme mon hallucination de la veille en joyeuse réalité. Et cette joyeuse réalité inclut aussi la vue époustouflante de l'appartement de Cyril, aussi payé par la compagnie, donnant sur le Harbour Bridge et nul autre que l'Opera House. Le décor idéal pour mettre réellement en scène chacun de nos ébats amoureux virtuels. Et cette fois-ci, nous ne tardons pas à passer à l'acte. Après tout, c'est fini depuis longtemps, l'école secondaire.

Heureusement, l'acte est encore plus satisfaisant que l'idée que je m'en étais faite. La baie vitrée de sa salle à manger en guise de décor, il me prend par derrière et répète chaque détail de nos séances de cybersexe. Il caresse parfaitement chacun de mes points faibles jusqu'à ce que j'en tremble, avant de m'allonger sur la table à dîner. Il fait glisser mon pantalon lentement avant de s'installer entre mes jambes pour me faire le meilleur cunni de ma vie. En serrant mes jambes contre sa tête tellement je jouis, je réalise à cet instant précis que je n'ai jamais vraiment atteint l'orgasme avant Cyril. C'est comme si nous nous connaissons déjà par cœur. Nous savons exactement où nous toucher, avec la bonne pression et le bon rythme pour faire jouir l'autre au plus haut point.

Il y a de ces hommes qui font l'amour parfaitement.

Deux jours de baise torride plus tard, après avoir essayé toutes les positions dans toutes les pièces de l'appartement–à cheval sur le divan, debout dans la douche, par derrière devant le grand miroir de la salle de bain–nous partons finalement en *road trip* sur la côte est, comme prévu. La musique résonne à fond dans son bolide de l'année, les fenêtres baissées, la main qui surfe sur les vagues de vent australien, je vis. En route vers le nord, nous nous arrêtons ici et là pour manger, faire un peu de plage, faire l'amour derrière le buisson, sur la banquette arrière, dans les toilettes du restaurant de bord de mer. Parties de fesses à part, le temps est gris un jour sur deux, étant donné l'hiver qui approche et il n'y a pas vraiment d'endroit qui nous inspire. C'est ça, l'Australie? Nous devons être passés tout droit à côté d'endroits dont tout le monde parle.

Prochaine sortie : Byron Bay. Il me semble que ça me dit quelque chose. À voir la quantité de *backpackers* dans les rues, je dois avoir vu ce nom quelque part sur une de ces listes d'endroits à ne pas manquer. Mais Cyril n'en a rien à foutre de ces auberges de jeunesse où on doit tout partager et où les gens sont complètement soûls les trois-quarts du temps. C'est d'ailleurs pourquoi il préfère de loin les hôtels cinq étoiles aux cabanes sur le bord de la mer, même en Thaïlande.

— Qu'est-ce que tu as contre les *backpackers*? C'est l'essence même du voyage de s'intéresser aux autres, non?

— Ouais, les gens d'ici, ça va encore. Mais ces saletés de hippies, ils me soûlent. Ils sont crades et sentent toujours le patchouli. Ça m'énerve!

— T'es bourré de préjugés. C'est épouvantable! Comme si tous les voyageurs à petit budget sont forcément sales! Est-ce que je suis sale, moi? Cela dit, j'appuie entièrement ta manifestation contre l'existence du patchouli. C'est infect!

Tout partager, ça rapproche les gens, non? Disons, partager avec ceux qui ne sentent pas le patchouli. J'ai rencontré des gens de partout dans les auberges de jeunesse, des gens avec qui je garde encore contact. Je suis d'accord qu'en couple, c'est peut-être ordinaire de partager sa chambre avec d'autres fanfarons, mais bon… Ce soir, notre hôtel magnifique avec la piscine, le BBQ de champion et l'air conditionné est à côté d'une auberge de jeunesse. Nous entendons la musique, les gens qui s'amusent et ils semblent tous être sur la même longueur d'onde en même temps. De l'autre côté de la clôture, je les envie. Je pense à quel point ça aurait été plus amusant d'être ici avec les filles. Tout aurait été si simple et convivial entre ces différentes cultures. Pas ce soir.

Ce soir, ça se passe plutôt sous la véranda à déguster notre burger *fancy* avec notre bière Foster's en canette. Le gros luxe. La musique et les éclats de rire sont si forts du côté de l'auberge de jeunesse que nous avons du mal à nous parler sans être interrompus par les décibels en crescendo proportionnel à l'alcoolémie. Du grand romantisme.

À voir ma mine basse, Cyril veut changer mon mal de place en le transformant en jouissance, par-dessus jouissance, par-dessus jouissance. La douche vitrée sert de décor et d'instrument de séduction cette fois-ci. Nos deux corps, l'un contre l'autre, ne font qu'un. Je n'ai soudainement plus envie d'être de l'autre côté de la clôture. Je soupire de détente, malgré le bout de mes doigts horriblement ratatinés d'avoir passé tout ce temps sous la douche. Je me sèche dans ma robe de chambre douce et enveloppante. Je mets des bouchons pour ne plus entendre les hippies festoyer et je me blottis contre Cyril. Ce que les hommes peuvent nous changer, parfois.

En continuant de monter la côte, notre prochain arrêt réellement digne de mention est notre escapade à Fraser Island, la plus grande île de sable au monde. À défaut de déstabiliser Cyril complètement, nous optons pour l'excursion organisée, en groupe de dix environ. Au fur et à mesure que les gens embarquent dans l'autobus, personne n'inspire confiance à Cyril : les Danoises bruyantes, le couple belge malheureux, l'Américain qui sait tout… Mais c'est dans ces moments-là que nous sommes généralement le plus surpris. C'est d'ailleurs ce que je tente de lui faire comprendre alors qu'il bougonne déjà à l'idée de devoir passer le weekend avec eux. Cela dit, un Irlandais est dans le groupe. Et les Irlandais, ils ont le don de détendre l'atmosphère, en partageant leur réserve de Guinness… dès midi. Ça semble dérider Cyril. Comme quoi, il y a toujours un petit *backpacker* caché au fond de soi.

Entretemps, je discute avec le reste du groupe qu'il a jugé trop vite. Je déteste juger trop vite. Je crois fondamentalement en la bonté des gens, jusqu'à preuve du contraire. Les Danoises ne sont que passionnées, le couple belge est tout simplement timide et l'Américain vient de prendre sa retraite et fait son premier voyage seul. Il est un peu nerveux, c'est tout. Je les aime déjà.

Bien que l'Irlandais réussisse à décoincer Cyril, les écarts entre lui et moi sont de taille. Nos deux rythmes de croisière bien distincts et nos intérêts diamétralement opposés me font déjà craindre l'après-Australie. Le fait que le voyage prédispose à une forme légère de delirium tremens en rendant tout plus beau et plus spectaculaire n'aide pas à la situation. Je ne fais que m'accrocher à des riens pour oublier les critères de base d'une véritable relation amoureuse.

Je réalise que je me ronge les ongles. Et ce n'est que le début des tourments.

Une fois à Airlie Beach, le point le plus au nord de notre *road trip*, nous réservons trois jours de croisière sur un voilier dans les Whitsundays, toujours en mode organisé. Un grand classique à ne pas manquer dans les parages. Encore fidèle au *Lonely Planet*, semble-t-il. Une fois sur le bateau, Cyril manifeste un trop-plein d'enthousiasme lorsqu'il réalise que quatre Québécoises sont aussi parmi nous. Les Français et les Québécoises, de vrais aimants. D'un côté, les Français savent nettement mieux faire la cour que n'importe quel Québécois, peut-être trop même; de l'autre, les Québécoises sont pas mal plus accueillantes face aux stratégies de conquête des Français que n'importe quelle Française. Tout le monde y trouve son compte. Dans mon cas, je ne me suis certainement pas rendue jusqu'à l'autre bout du monde pour voir Cyril flirter avec une autre fille sous mes yeux. Je suis prise sur ce bateau pendant trois jours et je vais être témoin de ça, moi? Bien évidemment, les conversations à ce sujet déclenchent une dispute instantanée.

— OK, c'est bon. Tu la trouves *cute*, Emmanuelle. Tu es quand même pas obligé de la cruiser devant moi!

— Arrête tes conneries, je la drague pas. Elle est ingénieure et elle connaît tout des moteurs. On discute de bagnoles, c'est tout.

Pff! Ingénieure mon cul! Elle est grande, blonde, a de plus gros seins que les miens et elle porte, l'air naïf, des robes beaucoup trop courtes, au décolleté beaucoup trop plongeant. Il boit ses paroles comme un Touareg assoiffé et éclate de rire chaque fois qu'elle ouvre la bouche. L'agace. De mon œil de pigeon, je bouillonne par en dedans. J'inspire, j'expire. Voyons, il n'y a pas un chakra à débloquer au Drano pour ça? Je sors sur le pont prendre l'air, juste pour essayer de respirer. Le ciel est clair, étoilé, paisible. Je suis là, troublée, l'âme en peine. Je pense à ce que les filles me feraient comme leçon. Elles auraient toute la compassion du monde, seraient fâchées contre lui, comme seules de vraies amies savent si bien le faire, et tenteraient de me faire réaliser qu'il ne me mérite pas, que je ne devrais jamais accepter ça. Je sais déjà tout ça. Pour le moment, je ne comprends simplement pas. Je n'en crois pas mes yeux ni mes oreilles, tant il me manque de respect. C'est comme si tout ce qu'il m'a dit dans le passé ne voulait rien dire. Suis-je allée à l'autre bout du monde pour revenir à la case départ? Le même dur constat qu'avec Guillaume : tout n'est jamais complètement vrai? Comment quelqu'un qui m'a démontré autant d'attirance, de passion, peut-il me faire autant de mal? Je ne lui ai rien demandé au départ. C'est lui qui n'a pas lâché le morceau. À moins qu'il fasse partie de cette espèce de chasseur-cueilleur-abandonneur? Ça court aussi beaucoup au Québec, cette maladie des gars qui ne s'en tiennent qu'à la chasse. Je veux bien croire qu'il ne faut pas tout leur donner tout cuit dans le bec, mais sommes-nous vraiment obligés de jouer le jeu à ce point-là?

La mine basse une fois de plus, je rentre me coucher, seule dans ma cabine. Je m'en veux. Je m'en veux de me faire prendre au piège encore une fois. Emprisonnée sur ce bateau, je me laisse bercer par les vagues de la mer de Corail. Je peux même apercevoir quelques étoiles par le hublot. Je sens une larme couler lentement sur ma joue. Le cœur gros, je laisse la mer me bercer jusqu'à me porter dans un sommeil suffisamment profond pour oublier mon état d'âme.

Complètement perdue dans mes cycles de sommeil, j'imagine que Cyril finit par rentrer plus tard que tôt. Bandé après avoir passé la soirée avec Emmanuelle à parler de transmission et d'huile à moteur, il me colle. Il baisse ma culotte et me pénètre comme si j'étais sienne, comme s'il ne me devait rien et que je lui devais tout en retour. Encore endormie, à peine consciente, je me laisse faire et je jouis, malgré moi. Comme la fois à Byron Bay, je suis étonnée à quel point le sexe nous fait croire que tout est correct, que la tempête est soudainement passée. Trop souvent, ça devient tout ce qu'il nous reste pour espérer encore un peu.

Le lendemain matin, le froid glacial. Pas moyen de se réconforter en cuil-lère, il a trop chaud, mon bras autour de lui l'incommode, mon souffle dans son dos le chatouille et ça l'énerve. Frôlant la crise d'angoisse, je sors du lit, je monte sur le pont et je plonge sous l'eau, plus près des coraux pour y trouver consolation. Plonger dans un élément qui n'est pas le mien est tout de même ce qui apaise le plus la douleur que je ressens en ce moment. J'ai besoin d'être ailleurs, le plus loin possible de l'angoisse qui m'habite. Vu le contexte dans lequel je suis, sur un bateau au beau milieu de l'océan, ma seule porte de sortie est sous l'eau, à longer la grande barrière de corail. Il y a pire, peut-être? Dans ma situation, pas tellement.

Comment se fait-il que le Cyril que j'ai connu ne soit plus le même tout d'un coup? Celui avec qui je conversais tous les jours, celui qui m'a fait livrer des fleurs sans aucune raison, celui aussi qui m'envoyait des vidéos pour me montrer les kangourous bondissant dans le pré et me dire à quel point il était content que je vienne lui rendre visite. Tiens, un poisson-clown. Que s'est-il passé avec ce Cyril-là? Il a assez donné? Il a déjà atteint sa date d'expiration de bon gars? Ou est-ce qu'il agit de la sorte parce qu'il craint de devoir gérer des émotions à la fin de mon séjour? Je présume alors que de tout bloquer est le meilleur moyen qu'il a trouvé d'esquiver ses sentiments le plus possible. Oh! Qu'il est drôle ce corail, il a l'air tout doux. Oups! Ma main s'engourdit tout d'un coup. Bon, ça suffit le réconfort sous-marin.

En remontant à la surface, je continue de pousser ma réflexion. Peut-être que le divertissement de notre relation virtuelle était suffisant à son bonheur, à sa conquête. Maintenant qu'il a eu ce qu'il voulait, mon attention, mes caresses et mes fesses, aussi bien passer à un autre appel tout de suite. Et en me frustrant contre lui, peut-être qu'il espère simplement que je le quitterai de plein gré. Nettement plus facile à gérer que d'initier la rupture. Maudit lâche. Ça me fait penser à l'histoire de Steph et Éric. Pas un autre coup de théâtre! Serait-ce le début d'une épidémie de mauvaise foi?

Je remonte doucement sur le bateau. Je retourne à ma cabine, je me sèche sans faire trop de bruit, de peur d'avoir à affronter l'abominable Cyril. J'enfile ce que j'ai de vêtements à portée de main : un jeans, un kangourou et au diable la brassière double A.

Je vais prendre mon café sur le pont et je reste là, figée par mes émotions, jusqu'à notre retour au port.

De retour sur la terre ferme, je brise la glace.

— Cyril, pourquoi tu me fais ça? Je viens de me taper 16 000 km pour te voir, parce que tu m'en supplies depuis quatre mois, et tu me tournes le dos à la première distraction?

— Je sais pas. J'ai pas l'habitude d'être avec quelqu'un 24 heures sur 24. Je suis plutôt du type indépendant et là, je me retrouve en couple du jour au lendemain.

— OK, mais c'est toi qui voulais que je vienne te visiter à tout prix. Et c'est pas parce que tu as besoin de temps pour toi que tu es obligé de me manquer de respect.

— Je sais.

— OK. Et ben si tu le sais, pourquoi tu le fais pareil?

— Je sais pas.

Je roule les yeux, soupire et vais m'acheter un paquet de biscuits Tim Tam pour la route avec un grand café pour faire autant de Tim Tam *slam* que possible. En prenant une petite bouchée de chaque côté du biscuit, je l'utilise en guise de paille dans le café, j'avale tout rond, ça fond, et je recommence. Parfois, dans la vie, il faut savoir s'accrocher à ces petits plaisirs pour parvenir à garder le sourire. Question de survie.

Sur le chemin du retour, les questions et les émotions se bousculent en aller-retour entre ma tête et mon cœur. Pour le reste de mon séjour, je fais tout pour conserver une pointe d'amertume à l'égard de ce qui s'est passé sur le bateau. De la légitime défense. Ne pas partager mes Tim Tam, écouter mon iPod avec des écouteurs dans la voiture; je tente par tous les moyens de tenir mon bout, de ne pas flancher. Je l'avoue, je boude. Et puis, plus rien.

Une blague me fait sourire en coin, un baiser sur le côté gauche de mon cou, une baise sur la banquette arrière de sa grosse bagnole et voilà que je déboule soudainement tous les échelons de l'estime de soi. Le moment déphasé de la réalité où je prends ce qui passe. À peine une journée de sobriété. Et voilà que je tiens encore à lui, profondément. Je m'accroche à de fausses perceptions pour me prouver que j'avais raison de m'être rendue jusqu'ici pour lui, que je ne me suis quand même pas fait prendre au jeu et que je rentrerai à Montréal la tête haute. L'orgueil.

Comme si de rien n'était, je supprime presque complètement l'épisode aux Whitsundays. Comment se fait-il que j'oublie si rapidement? Je profite tout bonnement de ce que le présent a à m'offrir : le match de rugby à Canberra, les *meat pies* de fin de soirée, les boutiques souvenirs avec tire-bouchon en testicules de kangourou et les robes soleil au rabais en prévision de l'été qui s'amène à Montréal. Dans les faits, Cyril ne contribue pas beaucoup à mon bonheur. Mais, comme une fille qui sabote sa propre dignité, je lui donne quand même du crédit pour le retour de ma bonne humeur. Plus d'orgueil du tout.

À quelques jours de mon départ, il se fait plus colleux, plus délicat. Est-ce qu'il réalise subitement que je m'en vais bientôt, et que finalement, c'est bien de m'avoir dans les parages? La veille de mon départ, il m'apporte mon café au lit, passe me prendre après le bureau pour aller marcher au jardin chinois, il me fait couler un bain, dans lequel il vient me rejoindre plus tard, jusque tard. Je ne me pose plus de questions. Mon état d'âme épouvantable des Whitsundays n'est que poussière à présent. Je ferme les yeux, je l'embrasse passionnément et nous faisons l'amour toute la nuit. Je m'accroche à ça.

À l'aéroport, je reconnais la scène d'adieux. Je l'embrasse. Il me serre dans ses bras. Je tourne les talons et ne me retourne pas. Alors que j'allais passer les portes vers la douane, il arrive en courant comme dans un film de filles où tout est toujours trop beau pour être vrai. Il m'embrasse passionnément, une larme coule sur sa joue.

— Elsie, ça me brise le cœur que tu partes. Tu es vraiment importante pour moi.

— Mais toi aussi, tu es important. On va se revoir, tu sais.

— Ouiche. Ça, c'est clair.

Je l'embrasse à nouveau, avec tout mon amour, tout l'espoir qu'il me reste pour croire qu'il existe encore quoi que ce soit entre nous.

Dans mon avion inconfortable, je pense à lui, à nous. Arrivée à SFO, avec le décalage horaire, je revis ma journée, sans Cyril, seule. Je suis épuisée par mon vol de 14 heures, assise à 91°, les genoux du géant derrière moi qui poussent sur mon banc sans arrêt, et ce même géant qui ne peut pas s'empêcher de s'agripper à mon siège pour se lever chaque fois qu'il va aux toilettes. La réalité choque plus rapidement ainsi.

****

À mon retour, notre relation virtuelle a changé de dimension. La distance lui a donné l'air dont il avait besoin. Le dur constat que notre situation frôlait l'impossible était inévitable. J'ai encore du mal à comprendre pourquoi Cyril m'a couru après comme un guépard affamé et m'a laissée tomber comme une vieille chaussette sale une fois que je m'étais tapée 20 heures d'avion inconfortable pour lui. Et le pire dans tout ça, c'est que malgré les Whitsundays, malgré sa fuite des émotions, malgré ce dur constat, j'avais gardé espoir. Je ne sais pas trop pourquoi. Je me suis dit que l'espoir était peut-être comme la foi, on l'a ou on ne l'a pas.

Quand j'ai revu les filles le dimanche suivant mon retour, je leur ai un peu menti (« leur », incluant la personne qui parle).

— Pis, Elsie, c'est comment, l'Australie? Tu me donnais tellement le goût avec tes photos, a demandé Mélissa.

— C'était assez malade, surtout avec Cyril. Sérieux, meilleure baise de ma vie. Il est tout simplement infaillible pour me faire jouir.

— Pour vrai? Des détails, des détails! s'est exclamée Amélie.

— Je sais pas, je pense que c'est surtout le fait qu'on est un bon *match* au lit. Tu sais, d'autres fois, il y a juste rien à faire, ça clique pas?

— OK, et disons, outre la couchette? Est-ce que ça s'est bien passé? a demandé Violaine, plus sérieuse que d'habitude.

— Oui, oui, ça a été. On a fait beaucoup de route en deux semaines, ça fait que c'était un peu fatigant, mais ça a été.

— Non, non, mais je veux dire, avec Cyril, ça a été? a renchéri Violaine, décidément sérieuse ce matin-là.

— Oui, oui. C'est sûr que la distance entre nous est un gros point faible, mais pour le moment, on laisse aller les choses.

— Vous laissez aller les choses… Genre relax ou plus détaché? a rajouté Violaine.

— Ben là, un peu des deux. On peut quand même pas prendre une décision comme ça, sur un coup de tête. Je déménagerai quand même pas en Australie demain matin.

— Disons, deux semaines? a lancé Amélie pour détendre l'atmosphère.

Elles ne croyaient pas à mon faux bonheur. Et elles avaient raison. Je ne voulais simplement pas y voir clair tout de suite.

Cyril ne m'appelait plus tous les matins, sous prétexte que, selon son boss, ses frais d'interurbains étaient plus élevés que la moyenne du groupe. Escamoter la franchise. Un bel essai. Mais il m'écoutait et n'hésitait pas à me donner des conseils pour mieux marchander mes contrats de traduction. Le cybersexe quotidien est passé au *phonesex* intermittent. Et je m'accrochais à ça. Myopie, sors de ce cœur.

Plus les semaines passaient, plus la distance entre nous s'installait. Son enthousiasme au bout du fil s'éteignait comme un feu de camp sous l'orage. Et quand la fatigue s'est mise à justifier l'absence d'envie de me parler, ça sonnait sans contredit le début de la fin. Avant de tomber tête première dans un gouffre de tragédie amoureuse récurrente, j'ai eu la sagesse d'appeler Axel.

— Axel?

— Oui, cousine.

— Qu'est-ce qui se passe avec Cyril? Il t'a parlé de nous deux?

— Non. Toujours aussi distant?

— C'est de pire en pire.

— Mais qu'est-ce qu'il te fait, lui? C'est pas top son truc.

— Je comprends tellement pas ce qui se passe. Je comprends surtout pas comment il est passé de pot de colle en Thaïlande, pour ensuite me supplier pendant quatre mois de venir le voir à l'autre bout du monde et finir par en arriver là où j'ai l'air de lui répugner.

— Je sais. Je n'y comprends rien non plus. Tu sais, il peut être bête, Cyril. Il est du type la loi du moindre effort, tu vois?

— Non, je vois pas. Il m'a tellement couru après. Le nombre de fois qu'il m'a lancé des fleurs sans que je le complimente en retour. Il m'a pas lâchée et puis, plus rien.

— Ouais. Mais là, j'ai l'impression que la relation est trop compliquée pour lui à cause de la distance et il sait plus trop comment la gérer.

— Je le trouve tellement lâche! Tellement lâche de pas y croire. Il fait même tout pour que ça marche pas.

— Sois forte, cousine. Et surtout, reste digne dans tout ça. Ça me blesse de te voir comme ça. Tu me donnes des nouvelles bientôt, OK?

Rester digne. Ça m'avait complètement échappé. J'ai dormi là-dessus. Et le lendemain, comme par magie, une paix intérieure s'était installée en moi. Ça devait être ma grand-mère, là-haut, qui avait exaucé mes prières de la veille et qui me donnait enfin la sagesse de reconnaître les choses que je ne pouvais pas changer. Je ne pouvais rien y faire s'il ne voulait plus rien savoir de moi. Mais je pouvais exiger du respect de sa part, qu'il arrête de fuir ses émotions comme la peste et qu'il soit franc, tout simplement. J'ai pris le téléphone à mon tour.

— OK, Cyril, de toute évidence, ça va pas. Mais est-ce que tu peux au moins avoir le respect de m'expliquer ce qui s'est passé pour qu'on en arrive là?

— Je sais pas quoi te dire. Tu es tellement une grande femme, belle et ambitieuse… Mais c'est trop pour moi. Je pourrais pas gérer le fait que tu déménages en Australie pour moi. Et puis, voilà, ça peut pas fonctionner.

— Bon. OK. Ce que j'ai du mal à comprendre, c'est qu'encore une fois, tu m'as tellement témoigné d'intérêt, d'émerveillement presque. Et le simple fait de nous laisser une chance, de voir si ça pourrait fonctionner dans la vraie vie, ça t'horripile.

— Je sais. Je suis con. En plus, ça me brise le cœur de laisser partir une femme aussi extraordinaire que toi, qui a si bien pris soin de moi… Mais c'est comme ça. Je sais que je suis pas prêt à aller plus loin.

— Bon. Eh bien, adieu.

Clac.

Perte de repères, prise 3.

****

C'est tout de même à ce moment-là que je commence à reconnaître mes premiers mots de la langue masculine. Un gars, quand il te complimente comme si c'était sa job, c'est souvent vrai. Mais ça ne veut pas dire qu'il est intéressé pour autant. Ce constat se décline sous plusieurs formes, la plupart du temps. Que Cyril m'ait couverte de compliments pendant si longtemps, qu'il m'ait appelée tous les jours d'Australie pour prendre de mes nouvelles et qu'il ait eu une envie ponctuelle que je lui rende visite à l'autre bout du monde, ça veut dire ce que ça veut dire. Un point c'est tout. S'il avait voulu d'une vraie relation avec moi, il aurait entrepris des démarches pour se faire transférer à Lachine ou bien il m'aurait proposé de venir m'installer en Australie pour un bout. Du moins, il aurait posé des gestes concrets pour voir si ça pouvait fonctionner. Quand cela semble la chose la plus effrayante au monde, c'est signe qu'il y a quelque chose qui cloche. Et quand ça cloche, c'est poche. Ça sonne l'échec, la rupture est à l'horizon. Aussi bien passer au suivant tout de suite pour éviter le pire : perdre totalement ses repères.

En tout cas, c'est toujours difficile d'être objectif par rapport à soi et de percevoir la situation comme une tierce personne; de me dire que ce n'est pas moi, c'est lui. Et puis, faut-il toujours mettre le blâme sur quelqu'un? C'est peut-être nous deux qui n'allions tout simplement pas si bien ensemble. Dans le fond, je le savais depuis le début. Comme avec Daniel, j'aurais pu voir ça venir de loin. Pourquoi ne pas y voir plus clair, plus tôt? Qui ne risque rien, ne vit rien, peut-être? Et puisque j'ai déjà fait un pacte avec moi-même de ne pas m'imposer de contraintes de vie menées par la peur, j'assume. Ça me vire à l'envers, mais il faut croire que ça fait partie du jeu, ma pauvre Lucette. (Mon expression préférée d'Axel.)

C'est bien beau, cette leçon de philo, mais comme dans ma relation avec Guillaume, je ressens le même sentiment de ne pas être «assez» pour qu'il veuille de moi pour plus que des vacances. L'écart géographique qui imposait un échec quasiment assuré à notre histoire est pratiquement un test inconscient pour voir si j'en vaux la peine. J'ai tellement perdu espoir avec mes relations amoureuses à Montréal, même avant Guillaume, que j'ai l'impression de m'être mise inconsciemment dans une situation impossible pour m'assurer que le prochain homme dans ma vie tiendra vraiment à moi. Qu'il y tiendra tellement, que même l'immense distance entre nous ne sera pas un obstacle à notre futur ensemble. Dois-je pousser cette réflexion aussi loin? Sûrement pas. Mais, au moins, ça me fait voir du pays. Et puis, en étant toujours dans leur univers, je n'accumule aucun souvenir tragique de nos endroits préférés ici. Pas de pincement au cœur quand je passe devant le café où nous allions flâner le samedi après-midi, ni devant le petit resto de quartier où nous aimions tant aller souper en tête-à-tête. Rien. Montréal n'est maintenant plus une zone sinistrée par mes relations amoureuses passées. Elle est pure, sans écorchure.

Lorsque je revois les filles après ma rupture par téléphone avec Cyril, je suis honnête envers tout le monde cette fois-ci.

— Les filles, il faut que je vous dise, je me suis plantée avec Cyril. Et solide, à part ça.

— Disons plutôt que tu es allée au bout des choses, précise Violaine, qui s'est adoucie depuis le dernier brunch.

— Exactement. Là, c'est fait. Je n'ai plus de doute. Je peux tourner la page pour de bon, maintenant.

— Bon, bonne fille! ajoute Amélie.

— Et vous, qu'est-ce qui se passe? Du nouveau?

— Ben là, Simon travaille tout le temps. Notre seul temps ensemble, c'est le dimanche soir, quand il revient de ses fins de semaine de coaching professionnel intensif dans les Laurentides. Et le vendredi midi, on dîne ensemble, dit Amélie, un peu beaucoup éteinte par sa relation avec un dépendant au travail.

— Pis moi, j'ai commencé à fréquenter un de mes fournisseurs. Je sais, c'est pas la meilleure idée. Mais il se passait tellement rien dans ma vie amoureuse et lui, je le voyais tout le temps au bureau. Il m'a invitée à aller prendre un verre, puis à aller faire du kayak, et on se voit toutes les semaines depuis, ajoute Mélissa.

— C'est tellement correct. Et tellement plus sain que mon histoire d'horreur avec Cyril. C'est peut-être pas la meilleure stratégie au monde, finalement, de fuir l'homme québécois.

— Pis moi, depuis deux semaines, je fréquente un gars que j'ai rencontré dans une conférence sur les stratégies interactives. Il était assis à côté de moi. On a déconné toute la journée. Un petit jeune créatif, là! s'exclame Violaine.

— Mouin, me semble que ça sonne pas très sérieux, ton affaire.

— Je sais ben, Elsie. Mais j'ai pas trop envie de quelque chose de sérieux ces temps-ci. Quand je m'attends à du sérieux, ça vire au drame. Je tente une nouvelle stratégie cette fois-ci.

— Tu as ben raison. C'est pas fou ça, changer de stratégie.

Je me donne comme défi de rencontrer des gens d'ici. Juste pour voir si les temps ont un peu changé depuis Guillaume, Daniel et Cyril. Je sors plus souvent, surtout avec Steph. Après quelques échecs, ou plutôt après l'absence de toute forme de séduction de la part de la gent masculine, je commence à être un peu découragée. Encore. Je veux bien admettre que mes histoires d'amour outre-mer ne sont pas la meilleure stratégie au monde pour rencontrer quelqu'un, mais il y a toujours des limites à gérer le déficit de galanterie chronique de cette race masculine glaciale.

Un soir, nous allons à la Société des arts technologiques, communément appelée la SAT, pour une soirée tout en chocolat et en musique électronique; des tables et des tables de chocolats à déguster et de la musique en boucle toute la soirée. Je passe me prendre un verre au bar, histoire de diluer tout le sucre que je viens d'ingérer. En attendant patiemment la serveuse débordée, je tourne la tête et mon regard se pose sur cet homme. Une beauté divine. Ma mâchoire du bas tombe en chute libre tellement je suis éblouie. Il pourrait certainement faire de la compétition à Gabriel Aubry pour devenir la nouvelle égérie d'Hugo Boss. Comme en voyage, un regard séduisant, il se retourne au ralenti et me sourit. Je rêve ou je viens de me faire draguer par un homme à Montréal? Je m'approche, je me présente et puis, *pattern*.

— Salut! Ça va? lui dis-je, l'air coquin.

— Yes, ça va. Je m'appelle John. Je viens de Turquie.

— Ha! Bien sûr. (Maudite marde!) Qu'est-ce qui t'amène à Montréal?

— Je fais un échange à McGill.

— Bon… Alors tu es dans le coin pour quoi, encore deux mois?

— Oui, jusqu'en janvier.

Je ne peux pas m'empêcher de rire.

****

J'ai vu John pendant ses deux derniers mois de passage à Montréal. Il m'en a beaucoup appris sur la Turquie, l'histoire de ce magnifique pays à cheval entre l'Europe et l'Asie. Il m'a posé toutes sortes de questions sur Noël et le petit Jésus, qu'il ne connaissait pas du tout. Je trouvais ça fascinant que quelqu'un ne connaisse pas Noël, une célébration qui faisait tellement partie de ma vie depuis toujours. Même les Thaïs connaissaient Noël. Il me disait qu'il était vraiment doué en cuisine, surtout pour réussir les sauces pour pâtes. En sachet, oui. Mais puisqu'il ressemblait à Gabriel Aubry, je faisais semblant d'aimer ça.

C'était une belle aventure de passage, sans tracas ni engagement émotif, jusqu'à ce que je lui raconte l'histoire du nom de mon vibrateur.

— Tu sais ce qui est drôle? lui ai-je dit.

— Quoi, miel? (Il aimait bien m'appeler miel, au lieu de *honey*.)

— J'ai surnommé mon vibrateur «Johnny», en hommage à Johnny Depp, comme ton prénom.

— QUOI? Je ne veux pas en entendre parler!

— Hein? Pourquoi?

Il me niaisait ou bien? Mais non. Il ne l'avait pas du tout compris celle-là, et il trouvait ça complètement obscène que je lui parle de mon vibrateur. Je ne pouvais pas croire qu'il était sérieux. Ce n'est peut-être pas le genre de conversation que j'aurais avec ma grand-mère, mais là, franchement. Il était tellement outré que ce soir-là, il m'a demandé de rentrer dormir chez moi. Quoi? Ils sont bien rigides en Turquie.

L'hiver était inévitablement revenu à Montréal. Il faisait -1000 °C à nouveau et ma fréquentation du moment n'allait manifestement pas revenir de sitôt pour me réchauffer. J'ai donc préféré me réserver un tout inclus de dernière minute avec Steph plutôt que de rester frigorifiée par le côté conservateur extrême de John. À deux semaines d'avis, comme d'habitude, je cliquais sur «réserver» pour une semaine à Varadero, 700 $ taxes incluses. Ça nous laissait le temps d'aller nous faire épiler, de nous faire bronzer en accéléré quelques fois, histoire de n'aveugler personne avec nos cannes blanches, et de sortir nos robes soleil qui étaient rendues dernières dans la file de notre garde-robe. Nous les laissions traîner dans l'appart pour nous rappeler chaque jour que quelques jours plus tard, nous pourrions enfin les porter à nouveau. Je ne pensais déjà plus à John.

Il fallait partir une journée plus tôt que les vacances prévues de Steph pour profiter du rabais de dernière minute. Heureusement, elle avait droit à des journées de « maladie », elle. Affaire réglée. Mais avant notre heureux départ vers le Sud, il y avait les fêtes. Les fêtes en famille.

Quand tu es célibataire dans une famille où tous tes cousins et cousines sont en couple, propriétaires d'un condo et en train de fonder une famille, les repas des fêtes ne sont pas nécessairement une partie de plaisir. Chaque année, je devais essayer de faire comprendre à mes tantes et à mes cousines pourquoi, ô pourquoi, je n'arrivais pas à mettre le grappin sur une de ces créatures qu'on appelle les hommes.

— Fais-toi s'en pas, fille, tu vas ben finir par le trouver, ton homme. Prends Marie-Michelle, ma belle-sœur, elle a rencontré son chum dans une dégustation de vins, à un moment de sa vie où elle s'y attendait le moins, me dit ma cousine mariée depuis l'an dernier et déjà enceinte de son deuxième enfant.

Le moment où on s'y attend le moins. Je ne m'attendais vraiment pas à tomber amoureuse de Cyril et, vraiment, ça ne m'a rien donné. À quoi bon faire semblant de ne pas s'y attendre, de ne pas courir après l'amour? C'est probablement le conseil le plus con que j'aie jamais entendu. Je pense plutôt que le jour où tu rencontres enfin quelqu'un de bien pour toi, tu dois être tellement surprise, parce que ce qui t'est arrivé avant lui a toujours fini par te décevoir. Et puis, un autre conseil de matante que je trouve tout aussi con, c'est le fameux « il faut d'abord s'aimer soi-même pour laisser les autres nous aimer ». Je ne me détestais pas tant que ça, quand même. J'étais loin d'être parfaite, mais je ne me sentais pas complexée pour autant. De toute façon, je connaissais plein de couples de tordus, de dépendants affectifs, je n'avais qu'à penser à Guillaume et Judith. Ils n'étaient certainement pas les êtres les plus accomplis sur la planète et ils y avaient pourtant trouvé leur compte. Judith avait besoin de Guillaume et Guillaume avait besoin de se sentir indispensable aux yeux de sa blonde. C'est malsain, mais tellement fréquent.

Je frôlais la panique sous leurs regards pleins de jugement à l'égard de mon état civil, j'ai donc appelé Steph dans la chambre de ma tante, transformée en garde-robe horizontal pour l'occasion. Toujours aussi sage, elle a su mettre les choses en perspective assez vite.

— Steph, c'est moi. Excuse-moi de te déranger pendant ton souper de Noël, mais je capote un peu. Je suis dans ma propre famille et je me sens tellement comme une extraterrestre de pas avoir d'homme dans ma vie, ni de maison, ni de voiture. C'est con, hein?

— Eux, ils ont une maison, nous, on a le soleil et une série de *drinks* bien tassés qui nous attendent à la plage dans une semaine. C'est pas mal plus divertissant qu'une hypothèque!

— Vu de même. Ah! Merci de me rassurer. Toi, ça va?

— Aussi plate que chaque année. Ma mère se pogne avec ma sœur, mon père dit rien et moi, j'écoute Ciné-cadeau en mangeant des clémentines.

— Ha! On est dans le même genre de bateau finalement. Bon, j'y retourne. Merci, ma Steph. Pis joyeux Noël, là!

Toutes les deux de retour à Montréal, nous avons roulé toutes nos robes soleil et tassé toutes nos sandales assorties dans nos valises à roulettes respectives. Nous avons ensuite sauté dans un taxi à 3 h du matin, et hop! Après s'être enregistrée, Steph devait au moins prendre le temps d'appeler la secrétaire de son département pour l'avertir qu'elle ne rentrerait pas ce jour-là, elle était « malade ».

— Oui, Carole. C'est Stéphanie…

Dans l'interphone de l'aéroport : « Tous les passagers du vol Air Transat 320 à destination de Cancún sont priés de se rendre à la porte… »

Steph a légèrement haussé le ton.

— Oui, c'était simplement pour vous dire que je serai absente aujourd'hui, j'ai une de ces migraines! Ça fait que… Bonne journée!

Une migraine. Cette espèce de mal de tête sévère qui n'a pas de cause précise, mais peut être accompagné de nausées, de vomissements, de photophobie et à la limite, d'une envie de mourir un peu. Steph n'avait jamais eu de migraine de sa vie, mais tout le monde au bureau savait à quel point c'était épouvantable pour Carole lorsqu'elle en souffrait. Steph savait que Carole comprendrait.

Ce que j'ai trouvé magnifique dans ce vol nolisé vers le Sud, c'est que même à 6 h du matin, tout le monde à bord avait l'âme à la fête. Ça faisait changement du fameux : « en préparation au décollage, veuillez redresser votre siège, boucler votre ceinture et écouter attentivement les consignes de sécurité de l'équipage. » Au moins, après avoir récité son texte appris par cœur, l'agent de bord avec un bronzage orange brûlé au troisième degré s'est assuré de nous offrir un cocktail en s'exclamant haut et fort : « Varadero, prépare-toi, on arrive! »

Chapitre 5 : Julian
Où ça? : Cuba
Pourquoi déjà? : Il fait frette et je vais manquer de vitamine D d'une minute à l'autre

À peine trois heures et demie de vol et un petit tour de navette plus tard, nous arrivons à l'hôtel trois étoiles et demie. Rappel : 700 $ taxes incluses. Nous stationnons nos valises à roulettes en parallèle dans la chambre propre et authentiquement ornée de deux beaux cygnes en serviette posés sur nos lits, puis nous brossons nos dents rapidement pour éliminer toute trace de noix trop salées, dont nous avons abusé pendant notre petit vol. Changement de tenue : nous optons pour des pantalons de lin qui sauront nous assurer un look décontracté, léger, tout en détournant les regards de notre hâle minimal. Et puis, il doit bien être l'heure du lunch au fameux buffet, l'endroit idéal pour observer la marchandise. En entrant dans la salle à manger hautement climatisée, nous posons un regard panoramique sur la pièce, tel un radar. Disons que côté marchandise, on repassera. Il y a des petits couples beaucoup trop amoureux, quelques mononcles à l'odeur douteuse et un couple de lesbiennes tatouées jusqu'au cou en espadrilles Converse lacées jusqu'aux genoux. Soupir.

— *Pedro, dos Ron Collins por favor!*

Les plages de Varadero doivent bien nous réserver quelques surprises. Je ne sais pas trop ce qui me vaut cet élan d'optimisme, mais bon. Poursuivons notre magasinage. À ma grande surprise, il ne reste que deux chaises longues sur la plage de l'hôtel, à deux pas du bar. Juste pour nous. Il faut parfois savoir miser sur le positif dans la vie. S'allonger, bien se crémer, profiter!

Autre surprise un peu moins agréable que notre proximité avec le bar ouvert : Cuba en janvier, ce n'est pas la canicule. Mais c'est toujours bien mieux que de marcher dans les rues à la température d'un congélateur pour ensuite aller à grosses gouttes dans ma doudoune dans le métro. Alors, brise fraîche ou pas, nous passerons l'après-midi en bikini, que Miss météo le veuille ou non.

Après quelques tournées de Ron Collins servies de la façon la plus ergonomique du monde, c'est-à-dire un genre de grande raquette de ping-pong trouée en guise de cabaret, il fait étonnamment plus chaud. Les touristes rouge homard rentrent de leur tour de bateau-banane, les matantes restées sur la terre ferme relisent leurs vieilles éditions du magazine *Le Bel Âge* et les petits couples trop amoureux s'embrassent devant nous dans les eaux turquoise de Varadero.

Une autre raquette de Ron Collins.

Le soleil commence à tomber au loin et semble tirer le mercure avec lui. Le couvre-feu du bikini sonne. C'est le temps de prendre une douche, de profiter des restants de sable accumulés dans notre maillot pour se faire un bon exfoliant, de se munir d'un de nos kits de soir et de prier pour qu'un nouvel arrivage ait débarqué depuis ce midi. Toujours rien. Quoiqu'il y a Manuel qui me fait de l'œil en retournant le poulet cru et le poulet cuit avec le même ustensile. Si charmant. Préoccupée par l'idée de perdre ma semaine de vacances à cause d'un cuisinier qui a presque volontairement contaminé mon poulet de salmonelle, je reste de glace devant ses avances.

Ce n'est qu'au premier spectacle de l'hôtel que nous finissons enfin par socialiser avec d'autres vacanciers. Des Québécois, pour faire changement. En même temps, nous nous assumons pleinement. Être dans un tout inclus à Cuba en plein mois de janvier, à trois heures et demie de vol de Montréal, il y a des limites à l'exotisme. Les Québécois sont : un pompier célibataire (nous avons très bien compris le message, mais ne sommes pas intéressées pour autant), deux étudiantes nerveuses et couche-tôt et une gérante de boutique de vêtements rockabilly, elle-même rockabilly. À noter que nous n'avons pas été consultées pour l'hétérogénéité de la camaraderie. Et c'est tant mieux. Ça fait de meilleures histoires à raconter.

Ce n'est qu'après quatre longues journées de bronzette, buvette et dînette qu'un arrivage digne de commérage se pointe enfin. Ce soir-là, pour faire changement du menu redondant, nous troquons le buffet avarié pour le menu à la carte à la pizzéria du complexe. Déception totale. La pizza à Cuba, ce n'est pas bon. Trop de pâte, des champignons en conserve et du fromage qui ne fond pas vraiment. Ouache… Ce qui est délicieux, par contre, c'est d'apercevoir un troupeau de latinos, cigare à la main, hâle à point, se poser au petit bar de Pedro. En fait, c'est plutôt un latino en particulier, celui avec le chapeau de mafioso et le chemisier blanc un tout petit peu transparent. Nous partons sans finir notre pizza ni notre verre de mauvais vin.

En quête de divertissement, je n'ai plus aucun facteur d'inhibition. Comme Violaine, je change ma stratégie cette fois-ci. Je me fous du fait que le gars va peut-être me revirer de bord, être marié ou partir avec la pitoune au décolleté beaucoup trop plongeant. En fait, ça doit être ça. Je m'en fous. Je m'en fous, parce qu'au pire, je rentre chez moi dans trois jours. Au diable les dépenses : je chasse l'homme latin… argentin, pour être plus précise… Julian, pour l'être encore plus. Grand, costaud mais pas trop, cheveux foncés, yeux verts et macho de la tête aux pieds. Cuba n'aura jamais été aussi chaud en janvier. Je sens que la journée à la plage va prendre une tout autre tournure…

Fidèles au poste comme de vrais blancs, à 10 h tapantes, nous, la gang de Québécois, monopolisons une dizaine de transats pour le bien de notre socialisation d'Américains tous azimuts. Quand la bande de latinos, un mélange argentino-mexicain, fait son entrée, Steph et moi savons que la journée sera remplie d'anecdotes. Carnet à la main, nous notons le va-et-vient de la camaraderie. Un bijou de commérage que nous nous raconterons plus tard.

Julian, je le saisis déjà. Avec lui, c'est comme jouer à la chasse, mais à un niveau olympique. Entre le Québécois moyen et lui, c'est le jour et la nuit. Une autre espèce complètement. Je me sens d'attaque pour rendre grâce à son comportement absolument charmant en prenant part au jeu. Et pour ajouter du piquant à ce match, une adversaire se joint aussi à la partie, le genre de «pas fine» des comédies romantiques, celle qui agace tout en jouant la vierge offensée. Comme tout bon macho qui se respecte, Julian lui donne l'attention qu'elle tente désespérément d'attirer, sans me tourner le dos pour autant. Les pions sont en place.

Je garde un œil sur la cible, pendant que Marcello, un Mexicain d'origine et Argentin d'adoption, fait le bouffon dès midi à cause de son alcoolémie déjà assez élevée. Il tente tant bien que mal de faire la cour à Andrée-Anne, une des étudiantes québécoises timides et tourmentées. Elle ne comprend rien de ce qu'il dit, en espagnol ou en anglais, et compte sur Mathilde, son binôme, pour la protéger de ce farfadet beaucoup trop joyeux. Martin, le pompier, profite de l'occasion pour venir à la rescousse d'Andrée-Anne et ainsi démontrer à Mathilde, sa proie de la semaine, à quel point il est serviable. Elle reconnaît son geste, mais demeure réservée devant ses avances. Elle ne peut quand même pas laisser Andrée-Anne toute seule.

Je regarde Steph, nous roulons les yeux et tournons nos transats pour éviter toutes traces d'ombre. Une règle de base pour un bronzage égal.

De retour au dossier Julian, la « pas fine » commence à me taper royalement sur les nerfs. Pourquoi ne décolle-t-elle pas? Après tout, elle est blanche comme un verre de lait, a étendu sa crème solaire comme une gamine et a plaqué d'un rouge vif avec une trace de main dans le dos. Pas chic. Je remets mes verres fumés et je souris. Malgré son coup de soleil inégal, elle persévère à faire de l'œil à Julian. Et lui, en tant que macho invétéré, il lui accorde toujours quelques minutes d'attention et quelques éclats de rire. Juste assez pour me faire suer.

À la tombée du jour, il vient judicieusement me retrouver. Tout un plan de match. Son look mafieux m'hypnotise et éveille en moi ce fameux fétiche pour les mauvais garçons. Le coucher de soleil sur la mer tranquille, quelques Ron Collins de trop, la musique traditionnelle qui retentit d'une mauvaise radio : une scène parfaite, comme au Costa Rica, en Australie et même aux États-Unis.

Dans la plus animale des chasses à l'homme, je joue le jeu comme si une nomination aux Oscars m'attendait à la fin des vacances. Le soir venu, complètement blasée des spectacles bourrés de paillettes et de justaucorps couleur peau du complexe hôtelier, la nouvelle camaraderie américaine décide de partir explorer les boîtes de nuit cubaines, malheureusement trop souvent réservées aux touristes. Mais, avant le grand départ pour la piste de danse, une stratégie s'impose. Julian, toujours dans son rôle de macho jusqu'aux os, décide de jouer du coude et d'aller souper avec la « pas fine » et sa sainte-nitouche de sœur. Dans mon angle mort, au buffet, je constate la mise en échec. En mangeant mon énième plat médiocre de riz au bacon, hôtel trois étoiles et demie oblige, j'élabore mon plan de match pour la prochaine période du jeu.

— Bon là, Steph, il faut que je me trouve un moyen de le déstabiliser, solide.

— Ouin, il faut qu'il retrouve ses esprits. Je peux pas croire qu'il accorde autant d'attention à cette « pas fine » là. Elle a à peine 18 ans en plus.

— Il fait diversion, tout simplement. Et ça marche, tu m'as vu l'air?
En plein *brainstorm* de coup de théâtre.

— Il est quand même un peu bipolaire dans ses gestes.

Après le repas, en attendant l'indigestion, un rassemblement des troupes au bord de la piscine est de mise. Julian revient systématiquement faire son tour dans ma cour pour me tenir en haleine. Ça fonctionne, mais je reste sur mes gardes. La chasse est à son apogée. Je me surprends moi-même à y prendre part à ce point-là. La « pas fine » et sa sainte-nitouche de sœur font la moue à l'idée de sortir dans une boîte de nuit pour touristes. Passer une semaine dans un tout inclus à Cuba et tenter de fuir les touristes en même temps, voilà un bon exemple de quelqu'un qui n'assume pas ses choix. Julian fait preuve de compassion et les invite à venir avec nous. J'enrage par en dedans, mais je profite de l'occasion pour jouer le rôle de la fille confiante qui se tient droite et qui n'est tellement pas atteinte par l'ennemie. Je renchéris même et l'invite aussi à se joindre à nous dans notre escapade à La Grotta, un genre de grotte de nuit inspirée du film *Pirates des Caraïbes*. Malheureusement, aucune trace de Johnny Depp à l'horizon. Après notre arrivée au bar en stalactites, le scénario de cette comédie pas encore très romantique se corse.

La « pas fine » conserve son attitude de je-me-suis-faite-tordre-le-bras-pour-être-ici, et utilise Mario, le compatriote de Julian, afin de créer de la pseudo jalousie à son tour. Je commence à bayer aux corneilles. Julian fait semblant de chercher l'homme-objet en question. Prévisible.

— Je cherche Mario, tu l'as vu?

Avec une assurance déconcertante, je lui rétorque l'air insouciant.

— Il est avec ta petite flamme, juste là, derrière.

— De quoi tu parles, ma flamme? C'est toi, ma flamme. C'est avec toi que je veux être.

C'est alors qu'il jette l'éponge et m'embrasse à grands coups de pelle. Touché! Dans les dents, la « pas fine »!

Steph, à l'autre bout de la piste de danse en train de décoincer un Danois froid, est témoin de toutes mes feintes. Elle est morte de rire devant mon tir au but. La « pas fine » a plutôt mauvaise mine. C'est à croire qu'elle va fondre en larmes à même la grotte hyperclimatisée.

Je souris en coin et repars avec mon trophée de chasse.

De retour à l'hôtel, nous n'avons pas vraiment d'option romantique. Puisque Steph rentrera sous peu avec le Danois bien réchauffé, nous ne pouvons pas aller dans ma chambre. Ne reste plus qu'à profiter du temps qu'il reste dans la sienne avant que Mario revienne de la boîte de nuit au petit matin.

Bien au-delà des apparences, Julian est macho jusqu'au bout. Dans tous les sens du terme. À un point tel que lorsque j'aperçois la taille de son engin, je m'oblige à faire quelques postures de yoga avant de passer à l'acte.

Excitée certes, mais un tantinet nerveuse, je me confesse :

— Euh, tu m'excuses quelques minutes? Je pense que je vais m'étirer.

Guerrier un, deux et trois, chien tête en bas pendant cinq respirations profondes, ça devrait mieux passer maintenant.

Le plus grand coup de théâtre de la soirée, surtout après tout ce stratagème de séduction et son armure d'Adonis, c'est qu'on dirait qu'il n'a jamais eu à travailler une fois rendu au lit. Comme si le fait d'être incroyablement beau et particulièrement bien fait ne l'avait jamais vraiment forcé à maîtriser l'art de faire jouir une femme. Un art qui n'est assurément pas donné à tous et dont on devrait parler franchement plus souvent, parce que ce n'est certainement pas en faisant semblant d'avoir du plaisir que ce dossier-là va s'améliorer.

— Tu aimes ça? me chuchote-t-il à l'oreille en ne me caressant pas au bon endroit.

— Monte ton doigt un tout petit peu. Tu sens la petite bosse?

— Oui, je la sens très bien.

— Eh bien voilà, tu dois toujours trouver ce petit renflement bien ferme avant de toucher une femme. Sinon, c'est pas la peine, on ne sent rien de rien.

Maintenant, la bonne pression et le bon rythme. Il reste combien d'heures à la nuit?

Grâce à une bonne leçon de préliminaires 101, son égo de macho et sa rapidité d'apprentissage, Julian est déterminé à ne pas me laisser là, sans orgasme. Maintenant que j'y pense, nue, sur lui, il pourrait très bien donner un séminaire sur la séduction au Québécois moyen, froid et maladroit. La jouissance me sort de ma réflexion profonde. J'ai le temps d'atteindre l'orgasme trois fois avant que Mario passe le pas de la porte à 5 h du matin. Bien bourré, il ne se rend même pas compte de ma présence ni de nos ébats matinaux.

Ce lendemain de veille est le jour de départ du clan argentino-mexicain, le scénario classique suit son cours. Julian est affectueux, romantique à souhait et n'a plus envie de partir. Puisque je connais maintenant la chanson par cœur, je relativise. Je me rends compte de mon cheminement depuis Cyril, que je suis nettement plus douée maintenant pour profiter du moment présent tout en demeurant réaliste. Je veux bien passer l'après-midi à jouer les tourtereaux dans les rues de Varadero, mais pas question de croire à son discours d'âme en peine à l'idée d'avoir à me quitter tout à l'heure. Comme on dit : *Been there, done that, bought a few T-shirts.*

Le fait d'avoir cette réaction me rassure énormément. J'évolue encore, j'imagine. C'est peut-être seulement une forme de protection aussi. Enfin, son départ ne m'ébranle pas.

Adresse courriel en poche, je pose mes lèvres une dernière fois sur celles du bel Argentin avant qu'il quitte le complexe pour vrai. Je tourne mes sandales à talons et marche dignement vers la salle à mauvais manger, sans me retourner.

****

Il ne nous restait que deux jours de plus à Varadero avant de revenir à l'hiver frileux et il s'est mis à faire gris. Une fois à Montréal, nous n'avions que la recette de Ron Collins et quelques boîtes de cigares pour nous rappeler Cuba. Par chance, nous avions sans doute rapporté assez de rhum pour subvenir à nos besoins jusqu'au printemps.

Lorsque j'ai reçu le premier courriel de Julian, le classique : «Tu me manques déjà, je n'arrête pas de penser à toi, c'est fou ce qu'il y avait entre nous…» Je l'ai fait lire à Steph. Inquiète, elle a cru bon de me questionner.

— Là, Elsie, tu vas pas faire comme avec Daniel et Cyril, s'il te plait?

— Ah non, vraiment pas. J'en ai pas du tout envie pour une fois.

— Ah non? Alors, qu'est-ce que tu vas faire avec son courriel?

— Je vais lui répondre poliment. Mais je compte pas mettre d'énergie dans une relation virtuelle cette fois-ci, crois-moi.

— Je suis contente de t'entendre dire ça avec autant d'assurance. Parce que sincèrement, j'ai pas envie de te revoir dans le même état qu'avec Daniel ou Cyril. Tu mérites tellement mieux que ça.

— Je te promets de juste retirer du bien de cette histoire-là.

Les semaines, les mois ont passé, la traduction me sauvait encore la vie et me permettait d'avoir la tête ailleurs. Julian m'écrivait parfois, rien que des beaux mots. Je les prenais à bras ouverts, mais sans plus, sans que ça devienne une routine quotidienne. Je le voyais plutôt comme un petit rayon de soleil dans ma semaine. Il me racontait ce qu'il faisait à Buenos Aires, la préparation de son voyage en Nouvelle-Zélande. Du divertissement exotique, mais sain. Je lui parlais de mes trucs, sans prévoir le revoir dans un avenir proche. Et puisque ça ne me faisait que du bien, je continuais à le laisser entrer dans ma vie. Je me suis juré que le jour où ça deviendrait lourd, j'arrêterais sur-le-champ.

Pour faire changement, j'ai eu envie de partir seule pour une fois. Je ne l'avais jamais fait et j'avais besoin d'un peu de solitude, de me connaître un peu mieux. J'ai laissé l'hiver passer et le printemps s'entamer pour renflouer ma tirelire et choisir ma prochaine destination. Pour mon premier voyage en solo, et compte tenu de mon passé amoureux, j'ai judicieusement choisi le Portugal. Je me suis dit que j'allais enfin en avoir le cœur net avec cette culture qui me passionnait tant. N'était-ce qu'une illusion, ça aussi? En même temps, c'était l'Europe au rabais et ça ne devait pas être trop douteux pour une fille seule. Lors de mes recherches pour trouver la meilleure offre, les prix étaient tellement plus élevés au départ de YUL ou de YYZ, que je me suis retrouvée à réserver un billet en partance de EWR à prix imbattable. C'est vrai que Newark est un moyen détour, mais je pourrais covoiturer pour m'y rendre.

Par un beau jour d'avril coincé entre la gadoue et les percées de soleil timides, il faisait particulièrement doux. Il était enfin possible de croire que l'été reviendrait un jour. J'étais à vélo pour me rendre à un dîner d'affaires quand j'ai senti mon téléphone vibrer dans ma poche à une lumière rouge. J'ai pris le temps de regarder qui c'était. Mais, d'où venait cet indicatif régional?

— Oui, allô? ai-je dit, un peu essoufflée et curieuse en même temps.

— Elsie, c'est Daniel.

— Daniel…?

— Euh, bien, Daniel, le Portugais. Ça va?

— Bien sûr que ça va. Toi? Tu as encore mon numéro?

— Oui et oui! Au fait, je t'appelle parce que je pensais venir à Montréal cet été. J'ai un peu de temps libre et je voulais aller voir des amis à New York, mon oncle à Toronto et toi à Montréal.

— Euh… OK, quand?

— En fait, je commencerais par New York et j'irais à Montréal la deuxième semaine de mai environ. Seras-tu là?

— En fait, c'est vraiment bizarre, mais je m'en vais au Portugal à la fin du mois et je reviens à la mi-mai par Newark. Penses-tu que tu pourrais venir me chercher à l'aéroport et on remonterait ensemble, genre?

— Bien sûr. Cool, je t'écris pour te donner plus de détails. À bientôt, alors!

Je me suis pincée.

J'étais sur le point d'être en retard à mon dîner d'affaires, j'avais le cœur qui battait la chamade, tellement que j'ai eu du mal à pédaler jusqu'à mon rendez-vous. J'ai appelé Amélie, qui s'est chargée de rassembler les troupes pour une réunion d'urgence au sommet. Nous ne pouvions pas attendre notre brunch hebdomadaire. Violaine nous a donc invitées au 5 à 7 de son agence.

Je suis allée rencontrer mon client avec l'imagination fertile comme une lapine en chaleur. Pendant le repas, j'ai fait mon possible pour demeurer professionnelle, mais Daniel me faisait perdre la raison à tout coup. Il m'hypnotisait. Moi qui pensais être guérie de cette histoire-là, voilà que je perdais encore le nord.

Après ma rencontre, qui s'était bizarrement mieux passée que prévu, je suis allée acheter trop de vin et du whisky, au cas où je ne tiendrais pas le coup. En arrivant à l'agence, Violaine m'a tendu un verre avant même que j'aie franchi le seuil de la porte.

— Tiens, prends ça. Bon là, qu'est-ce qu'il t'a dit exactement? m'a demandé Violaine, tel un détective.

— Qu'il pensait venir à Montréal à la mi-mai en passant par New York. Le plus fou, c'est que ça concorde parfaitement avec mon retour du Portugal.

— Mais là, comment tu te sens? Penses-tu que tu vas pouvoir gérer tes émotions quand il va être ici et surtout quand il va repartir? a rappelé Steph, qui s'était aussi jointe à nous.

— Je sais pas trop, à vrai dire. Ça fait presque deux ans qu'on s'est pas vus. C'est fou pareil! Vraiment, la vie, elle m'épatera toujours.

— Sois prudente, Elsie. Il faudrait quand même pas qu'il te vire à l'envers encore une fois, juste parce qu'il veut squatter votre divan pendant ses vacances, m'a précisé Mélissa, presque aussi peu raisonnable que moi, mais qui tentait d'être plus sévère pour une fois.

— Je sais ben. Mais je pourrais pas supporter de savoir qu'il est à Montréal et d'avoir aucune idée d'où il est. En tout cas, je pense quand même que je vais éviter de mentionner tout de suite ce détail-là à ma mère. Elle a pas vraiment besoin de savoir comment je reviens de Newark, hein?

Et c'est en allant aux toilettes que j'ai fait la rencontre de Patrice, qui était consultant à l'agence de Violaine. À croire que la personne aux toilettes avant moi était constipée, nous avons eu le temps de discuter un peu et surtout de nous imaginer les raisons possibles qui pouvaient bien expliquer ce temps d'attente.

— Salut! Attends-tu pour les toilettes, toi aussi? m'a demandé Patrice.

— Oui, ça fait déjà 5 minutes.

— Oh! Est-ce qu'on est témoins ici d'une irrégularité intestinale? D'un vilain citoyen qui ne consomme pas son apport quotidien recommandé en fibres?

— Iisshh. Je suis pas certaine de vouloir subir l'odeur postconstipation. Moi, c'est Elsie, en passant. Je suis une amie de Violaine. Toi?

— Patrice, je suis aussi un ami de Violaine et consultant sur quelques-uns de ses projets. Je suis une de leurs boîtes à idées. D'ailleurs, je pense à ça, il est peut-être pas constipé, le gars. En fait, c'est peut-être une fille. Une fille qui a renversé son verre de vin rouge sur ses pantalons blancs. Tu sais ce qu'ils disent, rouge sur blanc…

— Ou peut-être qu'elle pleure sa vie parce que son chum l'a laissée par texto.

— Euh… Ouin. Peut-être que c'est un gars finalement. Et qu'il avait besoin d'un petit remontant. Plus fort que les *drinks* de filles qui défilent depuis tantôt, mettons.

Le concierge est sorti des toilettes, il s'est excusé du temps qu'il avait pris pour les nettoyer un peu et remplir le papier de toilette, le savon rose bonbon et le papier brun qui râpe la peau, et il est parti.

Patrice m'a regardée, on a éclaté de rire. Je suis entrée dans des toilettes d'agence sur le party qui sentaient propre pour une fois.

La soirée tirait à sa fin, tout comme la collection de bouteilles que j'avais achetées pour l'occasion, ce qui a facilité le déversement de quelques larmes dans la salle de conférence du bureau. Je réalisais à quel point j'avais encore Daniel dans la peau, et qu'avec les autres hommes que j'avais rencontrés après lui, je n'avais jamais rien ressenti d'aussi fort. Le fait qu'il revienne dans ma vie après presque deux ans d'absence voulait-il dire quelque chose? Avait-il enfin réalisé que ce qui s'était passé entre nous était magique et difficile à reproduire avec quelqu'un d'autre? Une lueur d'espoir bien ancrée au fond de moi faisait tout pour remonter à la surface.

En sortant du 5 à 7, à minuit, j'ai partagé un taxi avec Patrice puisque nous habitions dans le même coin. Je lui ai raconté que j'étais traduc-trice à la pige dans le domaine du cinéma par plaisir et de la publicité par obligation pour payer mes billets d'avion. Il m'a demandé mon courriel pour partager des films ou autres idées de sa boîte, tout en me précisant bien qu'il était en couple. Wow! Un gars honnête. De toute façon, j'avais tellement le cœur et l'esprit occupés par Daniel que je n'aurais jamais pu m'imaginer autre chose. En plus, il ne m'attirait pas du tout.

****

Chapitre 6 : Daniel (encore)
Où ça? : Portugal, États-Unis et Montréal
Pourquoi déjà? : Partir seule pour une fois...
et revenir à Montréal avec Daniel

En débarquant au Portugal, je pense à nouveau à Daniel tous les jours, toutes les minutes. Étant dans son pays natal, j'y aurais pensé de toute façon, mais la simple idée de le revoir dans deux petites semaines m'y fait penser mille fois plus. Je pense aussi à Filipe, mon premier petit amoureux à l'école primaire, puisqu'il m'a tellement parlé de son pays d'origine. Sans compter toutes les fois où sa mère mettait des plats typiquement portugais dans sa boîte à lunch. En fait, chaque plat que je mange ici goûte exactement la même chose que ceux de sa mère : la pieuvre parfaitement grillée, les espèces d'acras de morue salée, le pouding au riz et à la cannelle... Tout. Ça fait déjà un bon bout et je m'en souviens encore.

Je me laisse le temps de tomber sous le charme de Lisbonne. Ça me prend deux secondes et quart. Pas trop grande ni trop peuplée, j'aime bien sillonner ses rues à pied, m'y perdre, m'y retrouver. Ne parlant pas un mot de portugais, je parviens à décoder les mots qui ressemblent à l'espagnol sur les enseignes et les menus. Mais quand les gens se mettent à parler, ça dégénère. Je ne comprends rien, comme s'ils avaient une patate chaude dans la bouche. J'essaie de répondre en espagnol sans faire trop de fautes. Je ne sais pas trop si c'est une insulte pour eux ou si c'est mieux que de leur répondre en anglais.

Au fil de mon séjour, j'en profite pour faire un détour par Peniche, une ville sans attraction particulière, mis à part que c'est une ville de pêcheurs et qu'il y a le fort de je ne sais qui, qui rappelle l'histoire de je ne sais quoi. Il paraît que les vagues sont excellentes pour le surf. Je ne surfe pas. À mon avis, c'est plutôt des plages désagréablement venteuses, où les vagues sont si puissantes qu'on ne peut même pas se baigner. Dans tout mon ridicule assumé, mon seul et unique motif pour passer par ici est qu'il s'agit de la ville natale de Daniel. Je marche partout dans la ville et m'imagine que l'école de l'autre côté de la rue devait être son école primaire, qu'il devait bien venir acheter du poisson aux pêcheurs sur ce quai, qu'il est sûrement déjà venu à cette pâtisserie. C'est ma seule, mais primordiale excuse pour m'arrêter ici. J'ai un peu honte de m'être rendue juste pour ça, alors je n'ose même pas y passer la nuit. Le ridicule ne tue pas, il paraît, mais il ne doit certainement pas rendre plus fort.

Plus les jours avancent, plus j'angoisse à l'idée de revoir Daniel. J'ai peur de ma réaction, de comment je vais me sentir lorsque je reverrai son visage que je connais par cœur. Et chacun de ses traits que je pourrais dessiner à main levée. J'ai peur de ne m'en être jamais remise complètement. Et j'ai tout aussi peur qu'il envenime ma ville, mon univers pur, sans écorchure.

Je monte vers Porto, la magnifique, bordée par le Douro, ce généreux fleuve qui sillonne les réputés vignobles du pays. J'ai soif tout d'un coup. Les nombreuses églises ornées d'*azulejos*, ces fameuses céramiques blanches et bleues, sont si charmantes qu'elles me donnent pratiquement envie d'aller à la messe. Et puis, qu'est-ce que je vois de l'autre côté du pont? Un mirage? Une apparition divine? Un arrondissement complet de producteurs de porto. Décidément, ça valait le coup de pseudo prier à côté de la céramique. Je monte la rue sinueuse vers le pont, j'arrive à un cul-de-sac. Je redescends un peu et constate que je suis rendue dans le bidonville de Porto. Au même moment, je réalise qu'il ne me reste plus d'autre option que de traverser la cour d'une famille de quatre enfants, poulets affolés inclus. Je traverse ensuite le pont, redescends les marches vers la rue qui remonte vers l'enseigne la plus près. Essoufflée, assoiffée, je pousse la porte et je prends une grande inspiration. Ah! L'odeur des barils de bois, les émanations d'alcool qui se dégagent lentement, l'humidité qui diffuse les effluves du porto à son meilleur.

Tiens, ça fait déjà un petit moment que je ne pense pas à Daniel. Et voilà qu'il revient au galop dans mes pensées. Ne pas penser à lui est un peu comme l'utopie de ne penser à rien. Voyons! Voir qu'on peut penser à rien. C'est tellement plate comme concept en plus. On peut penser à des choses plus positives, visualiser le bien pour soi et ses proches... Ça, j'adopte. Mais de ne penser à rien, je n'adhère pas du tout. Ceci dit, dans le doute, je pense à Daniel. Ce serait bien qu'il soit là, à m'apprendre des mots de portugais, à me faire découvrir son pays natal, qu'il soit là, tout simplement.

Claquement de doigts pour me ramener à la réalité.

— Ah! Pis, non. Là, je suis ici. J'ai cinq sortes de porto à goûter devant moi, c'est à ça que je pense, bon.

Et je me parle encore à voix basse en français, sous prétexte que personne ne me comprend. Même si les gens autour de moi doutent visiblement de ma santé mentale à présent.

Après Porto, je redescends tranquillement vers Lisbonne et passe quelques jours à la montagne, à marcher en forêt, seule, un peu trop loin, un peu trop longtemps. Ça me rappelle que je dois répondre au courriel de ma mère, envoyé il y a trois jours. C'est clair qu'elle prend des pilules pour dormir cette semaine tellement elle doit être inquiète.

La veille de mon départ, je parcours toutes les boutiques du centre-ville de Lisbonne pour dénicher l'ensemble parfait pour mon look de retour. Puisque tout est si abordable ici, même en euros, ça me revient moins cher que de magasiner à Montréal. Le lendemain, je change dix fois de tenue, pour finalement remettre la première. Toujours pareil. Je laisse mes cheveux détachés, puis remontés légèrement. Je choisis soigneusement mes boucles d'oreille. Quatre paires plus tard, je peux enfin refaire mes bagages complètement, de façon à y rouler et y entasser tous mes achats de la veille.

De LIS à EWR, j'écoute de la musique, j'écris, je regarde un film, j'écris à nouveau, je bois du vin. J'essaie par tous les moyens de me détendre. Rien à faire, il est où encore, ce fichu chakra? Ou est-ce mon troisième œil qui est censé m'éclairer dans tout ça? En tout cas, je ne me sens ni éclairée ni détendue. Je prends un demi-Gravol et je m'endors avec mes angoisses jusqu'à bon port.

Une fois à la douane américaine, c'est aussi interminable que la fois où je me suis rendue à Indianapolis. Je regarde tous les arrivants se faire photographier, puis faire numériser leurs empreintes digitales. Évidemment, lorsque vient mon tour une heure plus tard, le douanier me laisse passer en moins de deux.

— D'où venez-vous?

— Montréal, Canada.

— Êtes-vous ici pour un transfert seulement?

— Oui. En fait, un ami vient me chercher et nous retournons à Montréal en voiture.

— Conduisez prudemment.

Un douanier américain presque courtois. C'est encore grâce à ma prière accotée sur la céramique, ça?

J'ai attendu une heure dans la file pour une minute, deux questions et quelques estampes? Ça ne leur tentait pas de faire une file pour les Canadiens? À quoi ils s'attendent? À ce que je ne pense pas à Daniel pendant toute cette heure-là? Alors là, c'est bon, j'ai les mains bien moites et j'ai peur d'avoir mauvaise haleine, parce que ça fait déjà presque deux heures que je ne me suis pas brossé les dents. Je passe enfin les portes. Daniel est là, sur un banc, toujours aussi beau, toujours aussi bouleversant.

— Hey! Elsie! Ça fait trop longtemps, comment vas-tu? me dit-il avec son sourire toujours aussi impeccable.

— Ça va. Épuisée par le *Homeland Security*, mais ça va. Ça fait drôle de te revoir après tout ce temps-là, en revenant du Portugal, en plus.

— Je prends ton sac, la voiture est tout près.

— Super, merci. J'en reviens pas que tu sois là, sérieux. Méchante coincidence!

Sur le chemin du retour, je lui raconte de fond en comble mon séjour au Portugal. Il ne comprend absolument pas pourquoi je me suis arrêtée à Peniche. Évidemment, je lui épargne les scénarios que je me suis faits en sillonnant les rues de son enfance. J'invente que je suis une fan finie des villes de pêcheurs. Zéro crédibilité. Il me parle de sa résidence en médecine qui va bon train, du fait qu'il planifie en faire une partie au Honduras dans un hôpital de brousse. Mes yeux scintillent, il m'éblouit toujours autant. Misère.

En passant les frontières canadiennes, je rallume mon téléphone. J'ai reçu un texto de Julian qui se traduit ainsi : «J'espère que tu es bien rentrée et que tu as fait un beau voyage. Je pense à toi, xx. »

Julian me fait du bien. Daniel me vire à l'envers. Je ne sais pas ce que je préfère.

Une fois à la maison, Steph n'est stratégiquement pas là. Épuisés, nous ne tardons pas à aller au lit.

— Elsie, tu aurais pas un oreiller et une petite couverture pour moi? me dit-il, allongé sur le divan dans le salon donnant directement sur la cuisine.

— Ah oui, bien sûr. Tiens.

Déçue, je lui tends un oreiller que je déteste et une couverture trop chaude pour la saison. Il est mieux de dormir profondément, parce qu'il risque de se faire réveiller assez tôt grâce au légendaire manque de délicatesse de Steph dans la cuisine, particulièrement à 7 h du matin. Je texte Steph pour l'informer de la situation. Elle se chargera de ne pas marcher sur la pointe des pieds. Une vraie amie.

Le lendemain, Steph est debout de bonne heure pour se rendre au travail. C'est mercredi, après tout. Comme malicieusement prévu, Daniel vient me rejoindre dans mon lit, à force de se faire casser les oreilles par le canard de la bouilloire, le Magic Bullet à l'épreuve des fruits congelés pour le smoothie matinal de Steph et l'alarme du four à micro-ondes qui la prévient quand son gruau à cuisson rapide est prêt. Pour éviter de me faire sursauter, il m'annonce sa présence en me chuchotant à l'oreille, puis il se colle contre moi, comme si c'était un prérequis pour dormir à mes côtés. Et c'est à cet instant précis que nous nous retrouvons, moment tout aussi magique que ce soir-là, au Costa Rica et à Indianapolis. Nous nous levons quelques heures après le départ de Steph. Je vais chercher des croissants au coin de la rue, je fais du bon café et nous prenons notre petit-déjeuner sur la terrasse. Je l'emmène voir la ville au belvédère du Mont-Royal, boire un autre café chez Olympico, puis manger Aux Vivres. Toute la journée, je bois ses paroles et je le laisse entacher ma ville immaculée. Au même moment, je reçois un autre texto de Julian. Je réfléchis. Comment puis-je être aussi rationnelle dans ma relation avec lui, alors que je dérape chaque fois avec Daniel? Il me trouble, comme l'eau dans le pastis.

De retour à la maison, Daniel m'embrasse en me poussant doucement vers la chambre. Nous faisons l'amour, une fois, passionnément. Ses épaules parfaites, surtout lorsqu'il est sur moi, son visage lorsqu'il jouit, la douceur de sa peau collée contre la mienne. Je m'en souviendrai toute ma vie. Chaque fois que je me décolle un peu de lui parce qu'il fait trop chaud, il se rapproche aussitôt, comme s'il voulait toujours que nos corps se touchent. Ne serait-ce qu'en posant sa main sur ma taille, même si je suis à l'autre bout du lit.

Le lendemain, il décide de partir plus tôt que prévu voir son oncle à Toronto. Il ne lui reste plus beaucoup de temps pour s'y rendre, passer du temps avec lui, qu'il n'a pas vu depuis quatre ans, et conduire jusqu'à Indianapolis. Ou est-ce encore moi qui le crois sur parole quand il utilise son oncle en guise de contrainte de temps? Au fond de moi, je soupçonne qu'il part une journée plus tôt, de peur que je me crée trop d'attentes après les 48 heures fabuleuses que nous venons de passer ensemble. Ce qu'il ne sait pas, c'est que lorsque je l'ai vu en sortant de l'aéroport à Newark, le mal était déjà fait.

— Tu fais comme tu le sens. C'est vrai que ça te fait beaucoup de route en moins d'une semaine.

— Ouais, et puis ça fait trop longtemps que j'ai pas vu mon oncle.

— Je comprends. J'espère que Montréal t'a plu. Tu es toujours le bienvenu, tu sais?

— Merci. C'était sympa de te revoir. Surtout, ne change pas. Tu évolues bien, comme ça.

Je fonds.

Je l'embrasse une dernière fois avant je ne sais combien de temps et je m'enferme dans ma chambre, puisque je ne peux pas le voir partir de ma fenêtre.

En ouvrant mes courriels plus tard dans la journée, Julian m'a écrit ceci :

> *Ma chérie,*
> *Je pars enfin en Nouvelle-Zélande demain. Je suis vraiment content d'aller voir ce côté du monde. J'aimerais vraiment que tu puisses venir avec moi. Sinon, à mon retour en Argentine dans deux mois, j'aimerais qu'on planifie de se revoir bientôt. Je t'envoie plein de bisous partout.*

Je suis perplexe. D'un côté, Daniel me fait trembler par en dedans telle une héroïnomane en désintox, mais il ne démontre pas une pointe d'intérêt à approfondir notre histoire. De l'autre, malgré la distance imposante, Julian est là, avec toute sa bonté, tout son cœur pour être le plus présent possible. Ça ressemble drôlement à l'état dans lequel Cyril me mettait au tout début de notre relation, alors que la distance masquait encore notre incompatibilité et ne laissait place qu'aux idéaux. Les mots de Julian me touchent, mais je prends ses paroles pour ce qu'elles sont, sans plus. Chose que je n'arrive toujours pas à faire avec Daniel. Comment se fait-il, misère, qu'à tous les coups, je tombe dans le piège avec lui?

Lorsque Daniel arrive chez lui en Indiana, il prend tout de même la peine de m'appeler pour me dire qu'il est bel et bien rentré et me remercie de mon hospitalité. Je suis infiniment flattée. Il est tout simplement courtois. Bien qu'il semble être convaincu de son absence de sentiments envers moi, il prend tout de même la peine de me mentionner qu'il a pensé à moi.

— J'ai trop pensé à toi l'autre jour, il y a une exposition sur Dior jusqu'à la fin de l'été au Musée des beaux-arts d'Indianapolis. Je me disais que tu adorerais.

— Euh… oui. Mais c'est à Indianapolis.

— Je sais bien. Je dis ça comme ça. Et tu sais ce qui est bien de l'été, ici?

— Quoi donc?

— Je fais toutes mes courses en kayak. J'habite tout près du canal, tu te rappelles ce coin?

— Oui, oui, je me souviens. Mais où veux-tu en venir?

— Je sais pas, si jamais tu passes dans le coin… J'apprécie toujours ta présence, tu sais.

Telle une gamine à qui on ordonne de ne pas mettre les mains sur la porte du four alors qu'il est extrêmement chaud, je ne devrais pas cliquer sur «réserver» tout de suite après une telle conversation. Telle une gamine qui ne sait pas reconnaître le danger, je me reprends illico un billet pour aller à Indianapolis pendant la longue fin de semaine de septembre.

Suis-je complètement démente? Ou est-ce que j'assume simplement de ne pas laisser un brin de raison venir gâcher le plaisir de ma folle de vie? On ne vit qu'une fois après tout.

En appelant Daniel pour lui envoyer mes numéros de vols, une semaine avant d'aller le rejoindre, j'ai droit à la réplique de la mort.

— Tu sais, Elsie, c'est super que tu reviennes ici. Mais je veux que tu saches que ce sera en amis, OK?

— Euh… Tu as pas pensé à me dire ça avant? Tu sais à quel point je tiens à toi et à quelle vitesse je peux effectuer des transactions en ligne pour acheter des billets d'avion?

— Je pensais que tu le savais. Je te trouve magnifique, tu sais, mais je préfère qu'on reste amis.

— Je pensais que tu le savais depuis le début, comment je me sens par rapport à toi. Ça risque pas de changer de sitôt. Écoute, je vais devoir raccrocher, j'ai un billet d'avion à annuler. Bye.

****

En raccrochant subitement la ligne au nez de Daniel, je me suis étendue dans mon divan en «L» et je me suis mise à réfléchir. Bien que j'avais toujours recherché la nouveauté et les différences de culture qui me rappelaient le mode de vie sans routine que j'avais choisi depuis longtemps, force était de constater qu'il y avait encore une fois une bonne dose d'impossible dans mes histoires. Comme si la distance pouvait masquer plusieurs facettes de l'être aimé du moment et me laissait ainsi m'imaginer mes propres scénarios de conte de fées. J'étais éperdument amoureuse de l'image que je m'étais faite de lui. Comment pouvais-je m'imaginer que Daniel était l'homme de ma vie, sans que je sois la femme de sa vie? L'un n'allait pas sans l'autre, évidemment. Peut-être aussi que j'aimais naïvement croire aux histoires de ceux pour qui l'amour à distance avait fonctionné. Ou était-ce plutôt par lâcheté que je misais à tout coup sur des relations temporaires, sous prétexte que la distance finirait toujours par avoir raison de nous? Ou alors s'agissait-il d'une façon plus élégante de fuir? Une chose était sûre, rien n'était simple dans mes histoires de cœur. Parce que la simplicité, c'était trop réconfortant. Et le confort, c'était un peu la mort, l'amour éteint par le train-train quotidien. Pour moi, l'amour paraissait plus vrai quand ça impliquait de passer par-dessus la distance, les différences, les obstacles insurmontables. J'avais ce besoin de savoir que l'autre serait prêt à tout pour moi, même s'il habitait à des milliers de kilomètres de chez moi, et que ça impliquerait les plus grands gestes d'engagement. Je me trouvais bizarre tout d'un coup. Au travers de situations impossibles, la fille qui fuyait la routine et la sécurité comme la peste cherchait à tout prix un amour à toute épreuve, un amour qui ne s'enfuirait pas à la moindre embûche. Un amour sûr, paradoxalement.

Après cet autre choc post-traumatique signé Daniel, j'appréciais de plus en plus la simplicité de ma « relation » avec Julian. Il ne me mentait pas. Je savais bien qu'il voyait d'autres filles, tout comme j'avais vu d'autres hommes depuis notre rencontre à Cuba. Un seul homme. Mais au moins, entre nous deux, il y avait du bien, beaucoup de bien. Il y avait aussi Skype qui nous permettait de nous parler et de nous voir plus souvent. Même si les conversations étaient nettement plus conservatrices qu'avec Cyril, elles étaient tout aussi appréciées. Je me demande bien comment étaient les relations à distance avant Skype. Des lettres interminables? Des cartes postales en série? Des photos osées qui ne risquaient pas de se retrouver partout dans le cyberespace?

Pour recharger mes batteries à bloc, rien ne valait un bon brunch entre copines, un avec beaucoup de sauce hollandaise et de petites patates rissolées à point. Amélie avait laissé Simon, parce qu'il préférait son boulot à sa relation. Mélissa était partie un mois au Mexique après avoir mis un terme à sa relation malsaine avec son fournisseur aux dessous jaloux. Sur place, elle a fréquenté un Américain qui lui a annoncé le jour de son départ qu'il avait une blonde, à Montréal, et qu'elle venait d'arriver le même jour pour le visiter. Quoi? Et Violaine avait aussi mis fin à sa relation avec son adolescent de stratège qui, finalement, fumait du pot tout le temps. Un ado, quoi. Elle s'était donc adonnée allègrement aux petits plaisirs des sites de rencontres. Incapable de supporter une autre histoire d'adolescent, elle a préféré ne prendre que le bon de la chose, la baise, et ne rien demander de plus. Comme aller à la pêche sans avoir à enfoncer les vers de terre dégoûtants sur l'hameçon.

Quand je leur ai raconté mon histoire avec Daniel, elles n'en revenaient tout simplement pas.

— Attends, je comprends pas. Il te dit qu'il a envie de te revoir à Indianapolis, te laisse acheter un billet d'avion, pour te dire après que vous n'êtes que des amis? m'a demandé Violaine.

— C'est pas mal ça, oui. C'est épouvantable, non? Il peut bien être poisson, plein de contradictions.

— Ah! Mon Dieu! Les hommes poissons! Tu sais que l'ex de ma sœur est poisson, celui qui a changé de programme vingt fois à l'université. Pas moyen de se faire une idée sur ce qu'il veut faire dans la vie. Il est toujours pas diplômé de rien, a ajouté Amélie.

— Là, de grâce Elsie, Julian, c'est quoi son signe? a demandé Mélissa.

— Fais-toi s'en pas, il est scorpion. Ça se tient droit, ces p'tites bêtes-là.

La semaine suivante, j'ai croisé Patrice à l'épicerie et il m'a invitée à prendre un café pour me parler d'un de ses concepts. J'ai fini par me confier à lui afin d'avoir l'avis d'un homme pour essayer de mieux comprendre la dernière feinte de Daniel. Assez estomaqué par mon histoire, il a diagnostiqué chez Daniel un grand manque d'honnêteté envers moi. Il aurait certainement pu faire preuve de plus de respect pour prévenir le mal, considérant qu'il savait très bien comment je me sentais par rapport à lui. D'une maturité, ce Patrice.

Puis, j'ai avoué mon énième échec amoureux à ma mère.

— Mom, c'est moi.

— Salut, ma chouette. Comment tu vas? Es-tu à Montréal pour quelques semaines? Me semble que je viendrais passer une couple de jours avec toi.

— Oui, je suis là. Et je risque pas de bouger de sitôt justement. Daniel m'a encore virée à l'envers.

— Ah oui? Comment ça?

— Bof. Je te raconterai. Mais disons que c'est un autre cas de «tu es exceptionnelle, mais restons amis».

— Ouin. Pour moi, va falloir que je mette ta grand-mère sur le dossier. Avec sa gang au ciel, ça devrait te remettre sur le piton assez vite. Fais-toi s'en pas, ma cocotte. Je passe te voir bientôt, on va se faire une bonne tasse de thé, pis tout va bien aller.

— Merci mom. Merci d'être là.

Quelques semaines plus tard, Julian est revenu de Nouvelle-Zélande et l'envie de le revoir se faisait sentir de plus en plus. Ça faisait plus de huit mois qu'il me faisait du bien, après tout. Nous avons donc considéré l'option de nous rejoindre à mi-chemin. Trinidad-et-Tobago, les îles Caïman, Puerto Rico, tout était possible. En essayant toutes les

combinaisons aériennes possibles, nous avons conclu qu'il serait nettement plus facile, moins cher et plus plaisant pour moi de me rendre chez
lui. Bizarrement, les vols pour l'Argentine le jour de Noël étaient les plus
alléchants de la bande. De toute façon, ce serait l'été là-bas et j'avais
toujours rêvé de danser le tango dans les rues de Buenos Aires et de
manger du steak saignant en fredonnant *Don't cry for me Argentina* en
face de la Casa Rosada. Quelques clics et hop!

Par amour, ma mère se questionnait encore à savoir pourquoi c'était
toujours moi qui me déplaçais au pays de l'homme charmant du moment. Je l'ai rassurée en insistant une fois de plus sur le fait que c'était
tant mieux pour moi, puisque ça me faisait voir du pays. Et Steph, quant
à elle, n'en revenait toujours pas que j'aie fait durer le plaisir pendant
près d'un an. Elle était tellement plus encourageante!

Chapitre 7 : Julian (chez lui aussi)
Où ça? : Argentine
Pourquoi déjà? : Avoir du plaisir. Point.

Cette fois-ci, c'est American Airlines qui m'offre tout un rabais puisque je pars le jour de Noël. C'est aussi une excellente raison pour manquer les soupers de famille en série et esquiver une fois de plus les questions redondantes de mes matantes perplexes au dur constat que leur nièce soit encore célibataire.

Le 25 décembre à YUL, c'est étonnamment tranquille. Il faut croire que les gens normaux sont déjà ou encore dans leur famille le jour de Noël.

Pas d'attente à l'enregistrement ni à la douane américaine. L'air bête des douaniers, lui, est toujours au rendez-vous, petit Jésus naissant ou non. Je passe les rayons X des bagages à main et, évidemment, j'attends derrière la fille qui porte des bottillons lacés et autant de bijoux qu'une Ginette de dépanneur, ainsi que l'homme qui traîne trop de sacs avec son ordi dans le fond de l'un, son iPad dans le fond de l'autre. Les jours d'aéroport, c'est sans bijoux, des ballerines aux pieds, l'ordi à portée de main et pas de pince à sourcils dans le fond de la sacoche. Souvent, ça ne passe pas et c'est mauditement difficile à trouver dans une trousse de maquillage trop pleine. Il me reste tout de même encore du temps pour prendre un café et me permettre mon plaisir coupable aéroportuaire : un magazine à potins. Je fais un choix éclairé selon les personnalités figurant sur la page couverture. Lindsay a encore trop fait le party, la fièvre Brangelina suit son cours ou la crème de la crème : les meilleures et les pires robes de l'année. Plaisir coupable de la fille qui déteste pourtant les préjugés. Mais c'est vrai que le vol passe vraiment plus vite avec tout ce divertissement entre les mains.

Sinon, mis à part de manger en compartiments, ce que j'aime le plus en avion, c'est évidemment le moment tant attendu où le pilote prend le micro et annonce enfin : *Pasajeros, bienvenidos a Buenos Aires*. Il fait beau, il fait chaud, emmenez-en des machos!

À la sortie de EZE, je saute dans un taxi et je file vers l'appartement de Julian pendant qu'il est toujours au travail. Le lendemain de Noël est une grosse journée dans le domaine des quatre roues, d'autant plus que tout le monde part en vacances. Un autre adepte de moteurs, je le sais. Bref, ce sont les arguments que je me répète pour ne pas être trop déçue du fait qu'il n'est pas venu me chercher à l'aéroport.

En route vers chez lui, j'observe que personne n'a l'air de comprendre le concept de clignoter avant de changer de voie. Et il y a cette panoplie de restaurants qui semble n'afficher que du steak au menu. J'ai faim. Puis, je suis là, devant l'adresse que Julian m'avait envoyée par texto la veille de mon départ, et je sonne à la porte du portier. Dans un espagnol engourdi, je lui explique que je suis la touriste canadienne qui est là pour voir Julian au 8 - B.

La porte s'ouvre, mon cœur reçoit une injection d'adrénaline.

Le portier m'attend dans l'ascenseur et vient m'ouvrir la porte de Julian. Me voilà chez lui, seule, pour quelques heures encore. Combien de filles auront la chance de fouiller l'appartement de leur nouvelle flamme avant qu'il n'arrive? Mon jour de chance. Je ne fouille pas de fond en comble, mais je regarde évidemment les livres et les films qu'il a, la bouffe dans son frigo : des condiments, de la bière et du jambon. Partout pareil. Il a une collection bizarre d'espadrilles Nike en pied de biche, avec la pointe qui sépare le gros orteil du reste. Ouache! C'est tout aussi laid que celles qui séparent tous les orteils. Sincèrement, avions-nous vraiment besoin d'ajouter des compatriotes aux souliers Crocs et aux infâmes bottes UGG? Sa salle de bain est propre au moins. Puis, je tombe sur le message qu'une de ses flammes très récentes a laissé à côté de son lit. « *Gracias por todo, Julia xx* ». Un bout de papier empoisonné. Il faut dire que j'ai aussi eu une histoire avec un vieil ami deux semaines avant de partir, qu'il a toujours été clair entre nous deux que nous n'étions réalistement pas un couple et que nous évitions de nous parler de nos ébats amoureux respectifs. Encore des paroles que je me répète pour ne pas rager avant son arrivée. Mais il aurait quand même pu faire preuve d'un peu plus de délicatesse et ne pas laisser traîner ce genre de truc, sachant très bien que j'allais être seule chez lui avant son retour à la maison. Je suis une fille après tout, j'ai la curiosité dans le sang. Ou est-ce une pointe d'amertume qui se développe, parce que je suis encore celle qui s'est déplacée? Ma mère a sûrement un peu raison, mais je préfère encore taire ses paroles qui résonnent dans ma tête. J'ai deux heures pour décompresser.

En me baladant dans le quartier, je me rends compte que les Argentins sont impeccablement beaux. Hommes, femmes, jeunes, vieux. Pas étonnant que Julian m'ait pratiquement donné un torticolis lorsque je l'ai vu apparaître à Cuba. Ah! Et ça sent le barbecue en plus! De la vraie bonne viande rouge qui carbonise à feu vif… Mmm! Steph me chicanerait d'avoir autant envie d'en manger. Pas plus de trois miniportions par semaine, qu'elle me répète chaque fois. Et si je prenais toutes mes portions permises de l'année pendant mon mois en Argentine? Après, je la laisse m'initier au tofu, promis!

Deux cafés et une glace au *dulce de leche* plus tard, sur le coup de 18 h, je rentre en vitesse pour ne pas manquer la binette de Julian quand il entrera dans son appartement. Je lis sans aucune trace de concentration le guide touristique sur l'Argentine que j'ai trouvé dans un magasin de livres usagés. À peine cinq minutes plus tard, j'entends Julian déverrouiller la porte et entrer. Je saute en bas de ma chaise, marche lentement vers la porte avec un grand sourire aux lèvres. Le même sourire se dessine sur les siennes. Éclats de rire simultanés. Ce genre de moment n'a pas de prix. Un an après notre rencontre, dans l'hémisphère sud, nous sommes là, ensemble.

De petits oiseaux gazouillent au-dessus de nos têtes.

Je saute dans ses bras, il me serre fort, longtemps. Il m'embrasse langoureusement, comme seul un Argentin sait si bien le faire, et il verse même une petite larme au passage, sous prétexte qu'il est si content de me voir. Le message bidon de Julia vient de prendre le bord sur ma liste d'angoisses.

— *Querida*, ma mère est en bas. Elle nous attend pour aller souper à la maison. On y va?

— Quoi? Mais, j'ai même pas eu le temps de réchauffer mon espagnol.

— T'en fais pas, ils vont t'adorer. Allez, ma jolie, viens rencontrer ma famille!

Vu le nombre de gars qui décampent à la moindre pointe d'engagement au Québec, disons que ça détonne. Cinq minutes de retrouvailles et il est grand temps que je rencontre ses parents. Voilà le genre de choc culturel qui m'ébranle le plus souvent. Heureusement.

En route vers le 450 de Buenos Aires, où les quartiers sont clôturés et les rues sans danger, Julian, sa mère et son chien sont absolument heureux de m'accueillir dans la bagnole familiale. De mon côté, mon maigre vocabulaire espagnol défile en rafale dans ma tête pour essayer de me rappeler le plus rapidement possible tout ce que j'ai appris en voyage en terre hispanophone. La traductrice en moi hésite un peu trop, de peur de faire une erreur flagrante de conjugaison. La fille en moi hésite, de peur de dire n'importe quoi d'inapproprié devant sa flamme du moment. Je me concentre énormément pour comprendre leur accent et m'adapter à la rapidité à laquelle ils parlent. Il me semble que les Costaricains et les Cubains sont beaucoup moins hyperactifs côté débit vocal. Sa mère m'adresse la parole en accéléré. Je repasse sa phrase au ralenti dans ma tête et construis une réponse simple, mais grammaticalement parfaite. Julian me sourit, impressionné par mon espagnol de niveau préscolaire. Il est macho, c'est tout.

Une fois arrivés à la résidence banlieusarde, nous sommes accueillis chaleureusement par le père de Julian; les bisous, les compliments et les bras ouverts. Et puisque la tradition argentine veut que le souper ne se prenne généralement pas avant 22 h, il nous reste amplement de temps pour aller marcher dans le quartier plus que parfait, nous reposer dans le hamac de la cour et même regarder un film, collés. Je m'auto-digère, mais je me console en regardant Julian dans ses grands yeux verts, pendant qu'il me serre dans ses bras.

Contrairement à Daniel, Julian ne m'émerveille pas. C'est de toute évidence le plus bel homme que j'ai fréquenté. Il me fait rire et jouir, ça, il n'y a plus de doute là-dessus. Cela dit, je ne bois pas ses paroles, il ne me vire pas à l'envers, ne me fait pas perdre la tête. Contrairement à Cyril, il ne chiale jamais. Il est plutôt du genre farceur, toujours un sourire en coin, que du positif, ce qui me permet d'ailleurs d'être complètement moi-même. Est-ce simplement parce que je ne suis pas amoureuse de lui, justement? Est-ce que ça doit impliquer ça, l'amour? Cette espèce de vague qui nous engouffre, un sentiment si grand et si fragile à la fois, qu'une peur immense se fait sentir à l'idée de perdre l'être aimé à tout moment. Peu importe de quoi il s'agit dans ce cas-ci, je prends ce temps pour ce qu'il est, de l'affection, du divertisse-ment et l'apprentissage intensif d'une nouvelle culture. Point. Comme au tout début de notre relation, je me suis promis de n'accepter que le bien. Et à l'inverse de l'épisode avec Cyril, je n'ai nullement envie de déménager ici. Je n'ai pas non plus envie qu'il déménage à Montréal. Je suis là, complètement dans l'instant présent, c'est tout.

Puisqu'il doit travailler toute la semaine, jusqu'au 30 décembre, j'erre sans but dans les quartiers populaires de la ville, de San Telmo à La Boca en passant par Palermo et même la Recoleta, histoire d'aller faire mon signe de croix sur la tombe d'Eva Perón.

Je m'arrête souvent le temps d'une pause pour faire le plein d'énergie en savourant un succulent biscuit Havanna. Ils consistent en deux biscuits réunis par une bonne couche de *dulce de leche*, le tout enrobé d'une ganache au chocolat… Ma dent sucrée est ravie. Et ça tombe bien, parce qu'il y a autant de succursales de Havanna en Argentine que de Starbucks en Amérique du Nord. Il ne faut pas le dire à Steph, ça non plus.

Une fois que Julian est enfin en congé, nous partons au lever du soleil vers Pinamar, une station balnéaire de choix pour quiconque souhaite passer une veille du jour de l'An de rêve. Un vieil album des Counting Crows joue en boucle dans son pick-up. Manque plus que le whisky pour être dans un *road movie*. Avec la chaleur caressante de l'été argentin, ça c'est mon genre de mois de janvier : pas de gadoue, ni de mauvais partys du jour de l'An dans des bars « m'as-tu-vu » sur Saint-Laurent avec des thématiques revisitées mille fois.

C'est une fois à Pinamar que je m'en donne à cœur joie avec les expériences culinaires locales. Puisque le bœuf est à l'honneur, j'en profite pour goûter toutes les parties de l'animal, apprêtées comme d'habitude à la *parilla* (normalement prononcé « parya » en espagnol, mais plutôt prononcé « paricha » en espagnol argentin. Tous les doubles « l » et les « y » sont prononcés « ch » ici. D'où mon retard de compréhension à mon arrivée au pays.) Julian me commande un plateau d'abats : intestins, rognons et cœur. Disons que des tripes grillées, ce n'est pas ce qu'il y a de plus agréable. C'est sec, ça ne goûte rien et ça colle au palais. Les rognons, ça goûte l'ammoniaque, misère. C'est quoi le but? Qui dans la vie peut bien avoir envie de manger quelque chose à saveur d'urine? Qui? Mais, alors là, le cœur de bœuf… MIAM! Quand même étonnant qu'un muscle qui a travaillé si fort pendant toute la vie du bœuf puisse être aussi tendre une fois sur mon plateau d'argent. Dire que Julian n'osait pas me dire de quoi il s'agissait, de peur que je sois dégoûtée à l'idée de manger du cœur. Que dire des boyaux d'excréments?

Après ce repas, nous rejoignons un de ses amis à la maison secondaire de son père, un bien nanti qui a su échapper à la crise économique au début des années 2000. La grande terrasse donne sur la plage, les flûtes de champagne circulent sans cesse, un DJ reconnu s'est déplacé pour l'occasion. Un vrai film. Julian est tellement beau dans la foule, riant, dansant parfaitement. Je reste au loin un petit peu pour l'admirer, réaliser à quel point il me fait du bien, à quel point c'est beau ce que je vis là. Il me cherche du regard, me trouve aussitôt, me sourit chaleureusement. Il s'approche de moi, en gardant le rythme, m'accote au mur, glisse sa main sous ma robe soleil et m'embrasse fougueusement. Il fait encore plus chaud.

Il y a de ces hommes qui nous font sentir comme la plus belle femme au monde.

Il nous prend deux flûtes de champagne pour la route et m'emmène dans la cabane dans l'arbre, encore plus près de la plage. Il y a aménagé un petit coin, chandelles, coussins et seau de glace avec plus de champagne. Nous faisons l'amour jusqu'au coup de minuit. Bonne année en plein orgasme. Un texto à nos parents respectifs, et nous recommençons de plus belle jusqu'à ce que le soleil se relève doucement sur Pinamar.

Chaque fois que je passe une nuit blanche, j'ai l'impression de déjouer le temps, de m'infliger un décalage horaire, de faire capoter mon horloge biologique, qui ne comprend vraiment pas ce que je fais encore debout. Blottie dans les bras de Julian, je regarde autour de moi. Certains ron-flent dans les hamacs de luxe un peu partout sur la propriété, d'autres vomissent dans le buisson taillé à la perfection, alors que les plus endurcis sont encore en train de mixer des cocktails au bar de la piscine quasi olympique. Saurai-je gérer mes attentes pour le prochain jour de l'An? Je m'assoupis là-dessus.

Lorsque le soleil se met à plomber assez fort pour me réveiller, Julian n'est plus là. Je rampe pratiquement vers l'ombre. J'ai soif. J'ai le cerveau qui cogne dans ma boîte crânienne. Abus de champagne. Julian arrive, souriant même avec une gueule de bois, avec des cafés, du Gatorade, des croissants au jambon et au fromage bien gras et des Advil. Un bouquet d'antidotes à notre mal de bloc.

En rémission de notre nuit blanche, nous retrouvons enfin le fuseau horaire argentin, ce qui devrait nous aider à garder le droit chemin pour notre retour à Buenos Aires. Au poste de péage, les files sont aussi longues que celles à la frontière canado-américaine en direction de New York le matin du Vendredi saint. Julian me rassure en me disant que les voitures vont klaxonner jusqu'à ce que les guérites laissent passer tout le monde.

— Ben, voyons! Ça se peut pas. Ils vont juste laisser tout le monde passer?

— Oui. C'est toujours comme ça.

Et ça ne prend pas plus de 2 minutes de cacophonie pour que les voitures passent tout droit. Je me demande comment les douaniers américains réagiraient si on s'y mettait en groupe au prochain long weekend.

Je passe quelques jours avec lui et sa famille avant de partir visiter le nord du pays. Une idée folle : leur faire un pâté chinois. L'odeur d'un plat que je consomme seulement lorsqu'on gèle au Canada, alors qu'on est en plein été ici, ça détonne presque autant que *Jingle Bells* en

Thaïlande. En bon Argentin, son père me complimente en me disant que sa femme cuisine aussi un plat du genre, sans maïs et avec un peu de sucre sur les pommes de terre pilées, mais que mon pâté est nettement meilleur. Deux morceaux de robot pour le renforcement positif. Sa femme sourit, le taquine un peu et lui pince l'oreille au passage. Il lui tape une fesse, l'embrasse dans le cou et ils éclatent de rire. L'amour, le vrai.

Je pars seule vers le nord, à la frontière du Brésil et du Paraguay, pour voir les fameuses chutes d'Iguazú. Je suis probablement la personne qui déteste le plus les chutes au monde. Pourquoi est-ce que chaque destination sur cette foutue planète propose inévitablement des chutes en tant qu'attrait touristique incontournable? De l'eau qui tombe de haut, c'est peut-être impressionnant une fois. Peut-être deux. Mais chaque fois? Non. Alors, pourquoi aller à Iguazú? Parce que Violaine me l'a chaudement recommandé. Et considérant à quel point elle déteste les attrape-touristes surestimés, je me suis dit que ça valait sûrement le détour.

Une nuit entière en autobus est probablement la pire option de transport qui soit, sauf en Argentine. Pour une poignée de pesos, je voyage dans un siège digne de la première classe d'un avion, incluant les repas en compartiments et une bonne série de films pas trop vieux. Le plus beau dans tout ça, c'est que pour quelques pesos de plus, j'ai droit à l'option *cama* – ce qui veut dire « lit » en espagnol – c'est-à-dire que le fameux siège déjà hyper confortable s'abaisse pratiquement à 180°. Moi qui dors déjà assez facilement en transport, autant dire tout de suite au chauffeur de ne pas oublier de me réveiller en arrivant à destination.

En me réveillant au beau milieu de la jungle argentine, je retrouve cet univers qui m'avait tant manqué en Australie avec Cyril. L'auberge de jeunesse, le barbecue commun, le dortoir avec le ventilateur brisé, les *backpackers* qui réinventent le monde dans le jardin… Je souris. Encore une fois, je ne crois pas que Julian apprécierait tant que ça. Tant mieux pour moi, il n'est pas là.

Dans mon moment présent, puisqu'il n'y a pas de Julian et que de toute façon, il doit en avoir profité pour renouer avec sa flamme pré-Noël, je ne manque pas de divertissement. Il y a le petit blond style surfeur de la Nouvelle-Zélande, le prof de yoga d'origine arabe qui enseigne en Californie et l'espèce de mastodonte allemand au cœur tendre qui veut s'assurer que tout le monde ne manque jamais de bière. C'est d'ailleurs avec cette bande de joyeux lurons que je me rends aux chutes d'Iguazú. Arrivés à l'entrée du parc national, nous prenons une jeep pour nous rendre au quai, pour ensuite prendre un bateau qui nous emmène aux chutes. De l'autre côté, le Brésil, si près que j'aurais presque pu y toucher en étirant mes bras. La forêt est luxuriante, l'eau est particulièrement calme et aucun bruit de chute ne se fait entendre jusqu'ici. Nous sommes sur l'eau depuis déjà une bonne dizaine de minutes, toujours rien. Que de l'eau calme et de la forêt tropicale de chaque côté. Puis, paf! Un mur d'eau qui sépare deux pays. Violaine avait raison, c'est majestueux. Et la routine touristique commence : la tête dans les chutes au point où je crois perdre mes verres de contact et ne plus rien voir du reste du voyage; tout le monde qui se rue pour prendre la même photo avec la même pancarte du parc national et le même angle du mur d'eau comme décor de fond. Pendant ce temps, je prends le Brésil en photo.

Séparée de Julian pour quelques jours, je réfléchis. Si mes relations à Montréal sont si bidons, c'est peut-être parce que je recherche tout le temps cette euphorie, ce sentiment d'être en vie, de plonger tête première dans un univers inconnu avec quelqu'un que je connais à peine. Un peu comme une drogue. Ou est-ce ma façon de me mettre la tête dans le sable et de fermer les yeux sur le fait qu'une vraie relation est bien loin de ce que je vis là, que ce n'est pas toujours rose, que ça demande de l'engagement, même dans les moments où ça ne tourne pas rond. Les mains sur les oreilles, je chante à tue-tête les yeux fermés. Lalala! Même si je suis vraiment bien avec Julian, j'écoute quand même mes envies et ne me laisse pas marcher sur les pieds. Ça n'a peut-être encore rien à voir avec une vraie relation, mais c'est certainement un pas dans la bonne direction. Je me respecte finalement. Et pourquoi n'ai-je pas appliqué ça avant?

Sur cette note pensive, je poursuis ma route vers le nord-ouest. Je tombe évidemment sous le charme du peuple andin, avec leur peau aux allures de cuir, brûlée par l'air de la cordillère en déficit d'oxygène, et leurs habits traditionnels en tricot coloré. À San Antonio de los Cobres, c'est un jeune d'une dizaine d'années qui pique ma curiosité. Bien au courant du phénomène des touristes qui débarquent et qui tentent tant bien que mal de capter en quelques clichés toute la culture qui se cache derrière ce grand peuple, il s'approche de moi l'air intrigué, parce que je ne prends pas de photos. Je ne fais que respirer profondément l'air frais des montagnes, contempler le paysage et les gens qui le composent. Alors que je me désaltère vu l'altitude qui assèche chacun de mes pores de peau, il m'interroge.

— Mais, comment fais-tu pour mettre de l'eau dans ton sac à dos?

J'ai un *CamelBack*.

J'éclate de rire et je lui explique.

— J'avoue que c'est bizarre. Regarde, j'ai un sac en plastique à l'intérieur et c'est là-dedans que je verse l'eau.

— Ah! Et tu viens d'où?

— Du Canada, de Montréal. Tu savais qu'il y a une partie francophone?

— Oui, oui. C'est le pays au nord des États-Unis, qui est au nord du

Mexique, et votre drapeau est rouge et blanc avec une feuille rouge au centre. La partie francophone est surtout à l'est, c'est ça?

— Euh… Tu as entièrement raison, mon grand! (Même s'il n'est pas vraiment grand.)

Je suis impressionnée par son niveau de connaissances, alors que nous sommes au milieu de nulle part. Je n'aurais pas su en dire autant à 10 ans. Il est exactement le genre de personne dont je me souviendrai toute ma vie. Des gens que l'on croise comme ça, sans qu'il se passe rien de grandiose. Pas toujours besoin de les prendre en photo. Ça aiguise la mémoire.

Je passe la nuit à Salta. Dans le dortoir de l'auberge de jeunesse, il y a trois Coréennes ricaneuses, une Sud-Africaine intello, une Belge polyglotte et moi. Quatre continents réunis sous un même toit, partageant la même toilette et la même nuit de sommeil, ronflement et jasette nocturne inclus. Armée de mes éternels compagnons de voyage (mes bouchons), je ne dors pas comme un bébé, parce que ça ne dort jamais, un bébé, mais bien comme une adolescente fainéante.

Le lendemain, je suis donc en super forme pour aller visiter les Salinas Grandes, ce désert de sel tout blanc, immaculé. Le soleil se réfléchit sur toute cette blancheur, ce qui explique pourquoi les travailleurs sont couverts de la tête aux pieds. En plus de leur casquette, ils portent lunettes de soleil et foulard de bandit sur la bouche. Ça explique aussi pourquoi il est fortement recommandé de se crémer uniformément avant de mettre les pieds hors de la fourgonnette de touristes. Je n'y reste que 20 minutes pour me tremper les pieds dans les petits bassins d'eau ultra-salée et prendre deux ou trois photos aux allures de mirage, et j'ai déjà des démarcations de bretelles.

Sur le chemin du retour, j'aperçois les lamas se tenir en gang. Asociaux, nerveux, ils me font perdre patience à tenter de les photographier. Ah! Continuez donc à être bêtes toutes seules, sales minigirafes poilues! J'enfonce mes écouteurs de iPod qui ne tiennent jamais en place dans mes oreilles. Je laisse défiler les paysages du nord de l'Argentine sous mes yeux, accompagnés de la trame sonore de ma liste de lecture judicieusement sélectionnée pour cette destination précise : du bon vieux Tom Petty, les chefs-d'œuvre musicaux des Wainwright, et Leonard Cohen, le grand. Toujours sur un air de *road movie*, je continue ma route vers Mendoza.

La très populaire région vinicole m'attend, tout comme Julian qui y est présentement pour le travail. Et qui dit travail, dit chambre d'hôtel magnifique avec vue impeccable sur les montagnes qui entourent l'Aconcagua, le plus haut sommet d'Amérique. Les retrouvailles sont dignes d'un film de filles aussi romantique que prévisible, avec le hit de l'été pour accompagner le premier baiser. Sauf que dans mon scénario, ça inclut plutôt un sac à dos de 65 litres, des sandales Birkenstock sur leur lit de mort et zéro musique. J'entre dans le chic hall d'entrée de l'hôtel cinq étoiles avec mon mastodonte de sac, les têtes blanches en polo me jugent, je leur souris et j'embrasse Julian sur-le-champ. Il prend mon sac et continue à m'embrasser dans l'ascenseur tout en miroir. Aussitôt que nous passons le pas de la porte de notre chambre, il me déshabille sauvagement. Facile avec une robe soleil. Je déboutonne maladroitement sa chemise. Minutie rime rarement avec rapidité d'exécution. Ses épaules… Daniel peut se rhabiller sur ce point-là. Il me prend par derrière devant la baie vitrée donnant sur l'immense chaîne de montagnes au loin. L'Opera House, l'Aconcagua, *what's next*? Jour de chance pour la femme de ménage dans le bureau d'en face. Comme il m'a manqué tout d'un coup! Les pommettes encore roses, nous descendons dans le parc prendre le maté pour l'apéro, cette infusion d'herbe extrêmement amère que tout le monde boit où qu'il soit. Même dans l'autobus, plusieurs passagers ont leur sac de feuilles, leur tasse et leur thermos d'eau chaude. Pour faciliter davantage la coutume, il y a des machines distributrices d'eau chaude dans bon nombre d'arrêts d'autobus, afin que tous puissent siroter un maté sur la route, pavée ou non. J'aime le thé, mais au point de me brûler les cuisses en tenant cette tasse sans couvercle entre mes jambes? Non.

Sur un banc de parc, maté à la main, les risques d'éclaboussures sont minimes. Les gens passent. Je m'imagine comment ils vivent, leur quotidien, de quoi ils parlent, je prédis où ils s'en vont... Un de mes passe-temps favoris dans la vie. Julian trouve toujours un scénario à l'opposé du mien et essaie de prendre un air sérieux pour avoir raison. Toujours un sourire en coin.

Ça doit bien faire une heure qu'on prend le maté et qu'on réinvente la vie des gens qui passent. Vient le temps de faire toutes les choses que j'ai l'habitude de faire après le souper : regarder un film dans le confort du lit de l'hôtel, prendre un verre en profitant pleinement du service aux chambres et, finalement, nous rendre au meilleur resto en ville pour manger du steak saignant et salé au gros sel. Une pensée pour Steph et je me commande encore de la viande rouge. Je me justifie en me disant que ça fait partie de l'intégration culturelle. C'est comme d'aller à Cuba sans boire de rhum ou en Thaïlande sans se prendre un pad thaï sur la rue. Ça ne se fait pas.

Le lendemain, pendant que Julian est en rencontre avec des clients, je me rends dans le quartier des maisons de vin. On dirait une ville fantôme. Il n'y a pas un chat dans les rues et c'est presque aussi beige qu'à Indianapolis. Rien à voir avec Porto. Sur ma petite carte de touriste, il semble y avoir des maisons de vin partout, mais tout paraît fermé. Est-ce un jour férié? Je marche, je marche, rien. Il faut dire que j'essaie aussi de m'éloigner des grands noms, un peu trop connus à mon goût. J'ai soif. Il n'y a toujours rien d'ouvert. Je commence à avoir mal à la tête. Je dois déjà être déshydratée. Après avoir tourné en rond pendant une heure, je me résigne à revenir sur mes pas et à entrer dans la seule maison ouverte. J'arrive à temps pour la dégustation. Mais j'ai soif pour de l'eau. On me sert un verre de bulles. Mes papilles ne sont pas contentes. Ça doit ressembler à ça, une migraine. En sortant de la dégustation, miracle, un dépanneur ouvert. Je vais m'acheter une grande bouteille d'eau. Ils n'ont pas de change pour cinq pesos. Ah! Garde donc le change. Le karma me revaudra bien ça. Je rentre à l'hôtel pour retrouver Julian. Nous nous rendons à l'aéroport en fin de journée pour rentrer à Buenos Aires. Je finis par acheter mon vin au magasin hors taxe.

De retour dans la capitale, il ne me reste plus que quelques jours pour profiter de mon histoire avec Julian, de la chaleur de l'été argentin et de la beauté de cette ville aux allures européennes, mais au rythme chaotique sud-américain. Un mélange parfait. Mon séjour est sur le point de se terminer et je me sens toujours bien avec Julian, mais je ne panique pas. Le détachement sauve mon âme.

Pour le dernier repas avec ses parents, sa sœur grano et son surtatoué de frère, j'ai une autre idée folle : leur faire des sushis. Disons que la section « sushis » des supermarchés en Argentine est microscopique comparativement à celle des épiceries canadiennes, et qu'il y a très peu de poissons frais à apprêter crus. Leur spécialité demeure la boucherie. Je me console avec des crevettes, beaucoup de rouleaux californiens et du thon… en conserve. Donner une leçon de sushis en espagnol argentin, que je ne maîtrise toujours pas, avec un manque flagrant d'ingrédients de base : le ridicule n'aura pas ma peau de sitôt! Tout le monde a fait semblant d'aimer ça, même le tatoué de frère qui s'est fait un sandwich au jambon en sortant de table.

Bisou par-ci, bisou par-là, c'est avec la tête haute, mais accompagnée d'un Julian à la mine basse que je retourne à EZE. Il joue encore une fois à merveille le rôle du gars dégoûté que je doive m'en aller.

— Écoute, Elsie, je ne prendrai pas de vacances avant le mois de juin, comme ça je pourrai venir te voir à Montréal. Je ne peux pas m'imaginer de ne plus te revoir.

Mon œil.

— On verra bien quand tu passeras les portes de YUL. D'ici là, garde tes paroles pour toi.

— Comment ça, tu ne me crois pas? C'est sûr qu'on va se revoir, voyons, il le faut.

Je souris, je l'embrasse passionnément et je passe les portes coulissantes sans me retourner. S'il y a une chose que j'ai apprise depuis le temps, c'est qu'un homme parle énormément, mais n'agit pas souvent. Ou du moins, il agit si, et seulement si, il est vraiment intéressé. Mise en échec aux paroles en l'air.

****

En atterrissant sur une Montréal congelée, je me sentais d'attaque pour affronter le froid, le retour au travail et possiblement la fin de mon histoire avec Julian. Je commençais à être habituée à ce scénario récurrent.

Mes piges en traduction ont su occuper pleinement l'hiver glacial. Je ne sortais pratiquement jamais. Frigorifiée, j'en ai profité pour me concentrer sur mon travail. Encore. C'était mon remède pour passer à autre chose. J'étais devenue ermite à un point tel que Steph venait m'apporter du thé très tôt le matin, lorsqu'elle se rendait compte que j'étais debout avant elle.

Julian a continué de m'écrire, de m'envoyer des textos, toujours aussi charmants qu'avant. Mais cela ne voulait tout de même pas dire qu'il allait s'acheter un billet d'avion EZE-YUL demain la veille. J'avais compris ça, au moins. Et j'étais même à l'aise avec cette réalité.

Et puis, un jour, alors que j'étais en dilemme à l'épicerie dans la rangée des biscuits, la Sûreté du Québec m'a appelée pour m'informer que ma mère était décédée. Le temps s'est arrêté. L'agent m'a dit aussi froidement que l'hiver québécois qu'elle avait dérapé en voiture et que le coin d'un camion de déneigement lui avait fracassé la tête, son si joli minois. J'ai tout échappé ce que je tenais dans mes bras. Ma mère, ma plus grande inspiration, n'était plus, tout d'un coup, sans préavis. Je n'avais même pas eu le temps de prendre le thé avec elle à mon retour d'Argentine. Celle qui m'avait élevée toute seule, mon père étant parti lorsque j'avais deux ans, celle qui gardait toujours le sourire à travers la tempête, celle qui m'avait enveloppée de tout son amour venait de partir sans prévenir. Du jour au lendemain, plus de maman. Plus personne pour s'inquiéter pour moi, pour me faire la leçon avec tant de sagesse, plus de personne mature à qui me confier. Plus jamais de moment mère-fille, de conversations tard le soir quand je n'arrivais pas à fermer l'œil, plus de petits-déjeuners chez elle, à la campagne. Plus rien d'elle. Jamais.

Quand j'ai raccroché avec l'agent de la Sûreté, j'ai appelé Steph pour qu'elle vienne me chercher à l'épicerie. Même si nous habitions à cinq minutes à pied, j'étais figée devant les biscuits Lu au chocolat noir, les préférés de maman. Je n'arrivais plus à sortir de là. Je pleurais toutes les larmes de mon corps, seule, devant la rangée de biscuits. Lorsque Steph est arrivée, elle m'a serrée fort dans ses bras, telle une grande sœur. Elle a mis son bras autour de moi et j'ai acheté tous les biscuits Lu de la tablette. J'ai pleuré comme une Madeleine qui n'a jamais eu autant de peine jusque chez nous. Steph était là, une boîte de mouchoir dans une main, une boîte de biscuits dans l'autre. J'ai fini deux boîtes, puis j'ai pleuré toute la nuit.

Le lendemain, je devais aller identifier le corps de ma mère à la morgue.

Le pire jour de ma vie. Sa mort était déjà assez épouvantable, je n'avais pas envie de la voir, le crâne défoncé par ce camion à la con. Steph est venue avec moi et m'a tenu la main tout le long. Le grincement des roues de la civière; la pire trame sonore imaginable. Lorsque le médecin a retiré le drap d'hôpital de son visage torturé, je pensais mourir aussi. Je pleurais tellement (lire «criais de souffrance») que le personnel n'a pu faire autrement que d'assumer que c'était bel et bien elle. Comme si ce n'était pas assez, j'étais obligée de décider immédiatement si elle allait se faire incinérer ou non. Bien que trop ébranlée pour réfléchir à ce genre de question, je savais tout de même très bien qu'elle n'aurait pas voulu se faire dévorer par les insectes une fois six pieds sous terre.

J'étais ravagée, assise, avec une bouteille de whisky ouverte depuis midi. Steph a pris le flambeau, a appelé le salon funéraire, le fleuriste, le traiteur, la section des nécrologies du journal… Elle s'est occupée de tout. Un ange. Pendant ce temps, je pleurais et je mangeais des biscuits Lu trempés dans le thé jusqu'à en avoir mal au cœur.

Pour une perte de repères, c'en était toute une : j'étais aussi déboussolée qu'une enfant qui a tourné sur elle-même trop longtemps. J'avais tellement besoin de réconfort que j'ai appelé Julian, malgré le fait que ma facture de téléphone cellulaire allait gonfler à vue d'œil. J'avais besoin de lui, près de moi, maintenant. Évidemment, la distance qui nous séparait n'aidait en rien mon besoin vital de réconfort. Mais au lieu d'être là, de *skyper* aussi longtemps que possible, d'être à l'écoute, ne serait-ce que pour me réconforter, un tout petit peu, il s'est refroidi d'un coup sec. Un iceberg de glace sèche.

— Julian, c'est moi. J'aurais tellement besoin que tu sois là, en ce moment. Ma mère est décédée dans un accident de voiture avant-hier.

— Quoi? Ta mère est morte? Attends, je t'entends mal. Je suis vraiment désolé, mais je suis sur un bateau avec des amis en ce moment.

Je peux te rappeler?

— Oui, mais ça va vraiment pas. Quand est-ce que tu crois pouvoir me rappeler?

— Écoute, Elsie, c'est compliqué. Tu es tellement loin. Je suis ici. Je ne sais vraiment pas comment je peux t'aider.

— Quoi? Ma mère est décédée et tu me dis que c'est compliqué? C'est la meilleure façon que t'as trouvée pour me réconforter? Si c'est maintenant rendu compliqué pour toi, c'est que c'est terminé entre nous. Je me suis promis de ne retirer que du bien de notre relation. Aujourd'hui, ça me fait moins de bien. Ça fait que, c'est fini. C'est tout. Amuse-toi bien sur ton bateau.

Clac.

J'aurais aimé pouvoir lui rugir en pleine face.

Aussi subitement que le décès de ma mère, Julian est disparu de ma vie. Sans écorchure, sans autodestruction. Que du bien, pour le temps qu'il fallait. Cette fois-ci, je n'ai pas vraiment perdu mes repères. Je l'avais vu venir.

De retour en deuil, en boule sous la couette, j'espérais me réveiller et réaliser que ce n'était qu'un mauvais rêve. Les filles ont même apporté le brunch à la maison ce dimanche-là, deux jours avant les funérailles.

— Elsie, pauvre cocotte. Toutes mes condoléances, ma chérie, m'a dit Amélie en essayant de passer la porte avec son immense bouquet de fleurs.

— Merci, Amé. Tu es fine. C'est tellement *trash* perdre sa mère. Sais-tu si Violaine a réussi à acheter du whisky en route?

— Je pense qu'il lui en restait chez elle, au pire. Inquiète-toi pas, on est là.

— Mélissa est pas avec toi?

— Oui, oui, elle monte le brunch. On a trouvé un nouveau traiteur qui se spécialise là-dedans. On a pris le gros kit.

— Vous êtes tellement les meilleures amies du monde.

— Salut ma pinotte. Tiens, prends-toi un croissant tout de suite. Je suis tellement désolée, ma Elsie d'amour. J'étais tellement jeune quand j'ai perdu mon père, j'ai pratiquement aucun souvenir de lui. Mais là, toi, ta mom, je vais tellement m'ennuyer de sa belle énergie, m'a dit Mélissa, les bras pleins de réconfort comestible.

— Perdre un parent, c'est de la vraie marde. Surtout comme ça, sans avertissement. C'est pas comme si elle était enfin libérée d'une souffrance chronique. Elle était en pleine forme, ma mère. Tout le monde l'aimait à sa job, elle faisait tout plein de bénévolat dans son coin. Maudite injustice! La vie aurait pas pu partir avec un cave?

Violaine est finalement arrivée, bouteille de whisky à la main. Il était 11 h 20.

— Elsie, ma poulette. J'ai croisé Patrice en chemin, il m'a dit de te dire de l'appeler si t'as besoin de parler. J'ai ton whisky. Bon, il doit ben être l'heure de l'apéro quelque part. Je t'en sers un verre?

— Mets-en.

J'ai supplié les filles d'essayer de me changer les idées avec leurs histoires. Amélie partait en Allemagne la semaine suivante pour rencontrer un client potentiel pour la firme de relations publiques pour laquelle elle travaillait. Elle comptait bien prolonger son séjour aux Pays-Bas, tant qu'à être dans le coin. Mélissa avait rencontré quelqu'un de bien au parc à chiens, un ébéniste, non-fumeur, de son âge, pas encore de squelettes dans le placard. De son côté, Violaine avait été invitée à souper chez un vieil ami nouvellement célibataire qui lui avait toujours fait de l'œil, même s'il avait toujours eu une blonde. Pendant le souper, l'ex-blonde en question, qui avait malicieusement gardé un double des clés, s'était pointée à quatre pattes dans la cuisine sans faire de bruit pour espionner son ex. En se levant pour aller aux toilettes, Violaine l'a aperçue et a poussé un cri. *Drama*. L'ex folle et le gars qui n'avait finalement pas réglé tous ses dossiers avant de rappeler Violaine. Le classique. Elle avait de loin les meilleures histoires. J'ai même réussi à sourire. Je me demandais justement si ces muscles-là avaient eu le temps de s'atrophier en une semaine sans stimulus.

Puis est venu le jour des funérailles de ma mère. Je ne voulais pas jouer la femme forte, ça lui aurait enlevé trop d'importance. J'avais adopté cette attitude en partant pour la Thaïlande après l'épisode avec Daniel. Je n'allais probablement plus jamais jouer à la femme forte de ma vie. Je ne voulais pas me relever et sécher mes pleurs, ça aurait voulu dire que je pouvais vivre sans elle. Je n'avais aucune espèce d'idée comment j'allais y arriver. Je ne voulais pas y arriver. Derrière mes grands verres fumés, j'ai serré la main et accepté toutes les condoléances ponctuées de malaises que les proches de ma mère avaient à m'offrir. Derrière mes grands verres fumés, j'ai raconté des souvenirs d'elle pour faire changement des discours génériques de prêtres qui se sont immunisés contre la mort. Le cœur gros, j'ai tout de même réussi à faire rire les gens dans la salle en leur rappelant toute sa beauté, toute sa coquetterie, sa manie d'aller casser une nouvelle paire de souliers sur un plancher de danse en guise de remontant après une mauvaise journée. J'allais désormais être nostalgique de tous les mois de décembre où nous passions la journée à faire des beignes et à boire du vin chaud, de toutes les fins de semaine où nous nous rendions au chalet de ma tante en chantant à tue-tête dans l'auto, là où nous partions en canot à l'aube pendant que la brume couvrait encore le lac, là où nous faisions frire le poisson fraîchement pêché et où nous rêvions à notre voyage en Angleterre, quand je n'avais que 10 ans. Ce discours, c'était ma façon de lui rendre hommage.

Les mois qui ont suivi ont été des plus houleux. Travailler de la maison, seule, alors que j'avais le cœur gros tous les jours, c'était lourd. Très lourd. Quoique j'aurais aussi été une collègue insupportable avec mon air macabre. Aller faire des boîtes avec mes tantes à la maison de maman, brailler ma vie en triant chaque souvenir de mon enfance, mettre la maison dans laquelle j'avais grandi en vente. C'était pire que la pire torture chinoise. Patrice est venu me voir quelques fois pour m'apporter de la soupe. Il venait en manger avec moi, m'écoutait, puis repartait une fois qu'il sentait que j'allais un peu mieux. Il était devenu un très bon ami sur qui je pouvais compter en tout temps.

Et chaque dimanche, c'était comme si je revivais un peu. J'avais recommencé à aller au resto avec les filles. C'était pratiquement ma seule raison valable de sortir de chez moi et ça a certainement été un bon remède pour passer à travers ce deuil atroce. Elles réussissaient même à me faire rire à présent. Amélie avait enfin rencontré un homme qui avait de l'allure, Renaud, le patron de sa cousine. Elle l'avait vu une première fois dans un 5 à 7 huppé au centre-ville avant de partir en voyage d'affaires en Allemagne, et deux autres fois depuis son retour. Parfait pour Amélie, Renaud était de 10 ans son aîné et avait un poste de cadre à un étage quelconque de la Place Ville-Marie. Il était très attentionné, même s'il voyageait régulièrement pour le travail. Restait à voir s'il était aussi accro au boulot que Simon. Quant à Mélissa, elle avait revu un ami du secondaire avec qui elle avait toujours eu un petit je-ne-sais-quoi. Il lui avait fait une méga déclaration d'amour, malgré le fait qu'il sortait avec la même fille depuis cinq ans. Scène d'ado à part, elle voyait encore son ébéniste, qui était de plus en plus souvent chez elle, d'ailleurs. Toujours pas de squelettes dans le placard. Et puis, Violaine s'était finalement remise en mode « j'allume des ronds », ce qui voulait dire qu'elle fréquentait plusieurs hommes (les ronds de poêle) en même temps. Le lundi, après son entraînement, elle voyait le gars du bateau-dragon. Et elle voyait aussi le consultant en programmation Web un soir de fin de semaine.

— Je sais pas si je pourrais gérer ça, ai-je dit, en absence totale de libido.

— Disons que ça m'aide à pas m'attacher. Je plonge tout le temps trop vite dans mes relations, sinon, a précisé Violaine, avec une sagesse bien à elle.

— C'est clair que je me mélangerais de nom, a ajouté Amélie. En tout cas, moi, Renaud me suffit pour me divertir. Regardez le foulard de soie qu'il m'a ramené de Hong Kong. Et puis, il m'a préparé toute une soirée de retrouvailles vendredi, à son retour d'Asie. Bon, il s'est endormi à 20 h 30, mais l'intention était là.

— Je suis vraiment contente pour vous autres, les filles.

— Ouin, est-ce qu'on est trop « hop la vie » ? Je peux te parler de mon eczéma aussi, pour rendre ça plus *trash*, m'a demandé Mélissa.

— Pas tant, non. Mais, merci, Méli. Ça me fait du bien pour vrai d'entendre vos histoires. Il faut bien que je retrouve espoir en la vie à un moment donné.

Plonger dans le travail pour rester en vie, me rendre au printemps et essayer tant bien que mal de faire mon deuil. Le printemps était peut-être un peu trop loin. Il fallait que je me rabatte sur mes publicités superficielles beaucoup trop enthousiastes pour accompagner une assiette de poulet rôti. Tout pour éviter de penser à ma mère. Pour le sentiment du travail accompli, on repassera, mais je le faisais vite et bien. J'étais devenue une machine à slogans traduits comme il faut.

Soûlée par mon horaire chargé, je n'arrivais pas à respirer quand je prenais du temps pour moi. Seule trop longtemps, j'angoissais. Steph me consolait tous les soirs dans le divan en «L». Je radotais, elle m'écoutait tout aussi attentivement.

Un soir, en pleine insomnie, je suis tombée sur le film *God Grew Tired of Us*, un documentaire à propos de trois Soudanais exilés aux États-Unis afin d'espérer un futur meilleur. Je les ai trouvés tellement beaux, tellement simples et terre à terre. Ça m'a donné envie de changement, d'un bon grand choc. Un choc qui aide à se retrouver, à faire le vide et à tout recommencer. Le piton *reset*. J'avais peut-être besoin de l'Afrique à mon tour. C'était tellement cliché en même temps. Et pourtant, je ne m'étais jamais vraiment sentie interpelée par ce continent. J'avais soudain ce grand besoin d'humanisme, d'aider les autres, de les voir sourire pour rien. Puisque j'avais encore du mal à sourire pour quoi que ce soit.

De jour en jour, je n'arrêtais plus d'y penser. Fidèle à moi-même, je me suis laissée porter par l'envie. J'aurais très bien pu faire du bénévolat ici, mais j'avais besoin d'être quelque part où je n'avais pas de souvenirs avec ma mère, un endroit vierge. De la fuite peut-être, mais je m'en fichais. Autant j'ai tout fait pour que Montréal reste vierge de souvenirs amoureux, ce que Daniel est venu gâcher, autant j'ai passé de beaux moments ici avec ma mère, ce qui rendait mon deuil quasi impossible. Et pour une fois en plus, je n'avais absolument aucune envie de chasser l'homme. Aucune.
Après quelques soirées à *googler* des ONG, j'en ai trouvé une toute petite qui venait en aide aux femmes dans le besoin; jeunes mères, victimes de viols ou de violence conjugale. Le centre où elles étaient hébergées avait besoin de bénévoles pour leur enseigner l'anglais et

l'entrepreneuriat afin de faciliter leur autonomie, et il était magnifiquement situé, au pied du mont Kilimandjaro, en Tanzanie. Ça devait bien
aider à faire sourire ce coin de pays là. En plus, je ne risquais pas grand
chose, j'allais être logée et nourrie par l'ONG et j'avais reçu des sous de
la succession de ma mère. J'aurais certainement pu l'utiliser pour une
mise de fonds sur un condo. Ou pas.

Chapitre 8 : Jay
Où ça? : Tanzanie
Pourquoi déjà? : Fuir mon deuil

Le transporteur aérien qui se rend en Tanzanie assez facilement à partir de YUL, c'est KLM. L'équipage est courtois et polyglotte à l'os. Nous pouvons nous faire servir en français, anglais, néerlandais, espagnol et même en swahili. Tiens, je souris. YUL-AMS se fait aussi facilement que YUL-CDG. L'équipage distribue les écouteurs. Je commence mon rattrapage cinématographique. Viennent les breuvages et la dizaine d'amandes à saveur fumée et extrêmement salées. Est-ce que je pourrais avoir toute la bouteille d'eau, s'il vous plait? Viennent ensuite les lingettes humides pour se laver les mains, décrotter ses ongles ou se démaquiller et avoir l'air encore plus cerné en arrivant à destination. Puis, mon moment préféré du vol, comme toujours, le repas en compartiments. Là, je souris pour vrai, parce qu'il est bon pour vrai. Une soupe aux tomates et fines herbes avec des morceaux de tomate presque fraîche, une petite salade de pâtes pas trop cuites et de légumes croquants, du camembert, du poulet pas trop sec avec une sauce pas trop visqueuse. Ah! Et le vino est potable. C'est la fête à bord.

J'ai le temps de regarder deux films de filles prévisibles. Aussi bien me commander du whisky tout de suite. Je ne finis pas le deuxième film. Je ferme les yeux et je prie ma mère. Je verse une larme. Je prie pour garder espoir. L'espoir qui nous redonne enfin la vie. Le souffle qui nous manque parfois pour continuer, pour éviter de nous laisser sombrer dans le gouffre. Et je renvoie le tout dans l'univers en espérant que la Tanzanie saura me guérir un peu.

J'arrive à AMS complètement décalée, faute d'avoir gardé quelques heures de vol pour siester. Je me prends un grand café, comme si ça allait vraiment me réveiller. Finalement, je m'assoupis, le cou bien cassé sur l'un de ces bancs avec accoudoirs aussi confortables qu'une chaise de patio en plastique. Tel est mon niveau de fatigue. Lorsque j'entends la dame annoncer mon vol en néerlandais, tout ce que je comprends, c'est Kilimandjaro. Ça suffit pour me réveiller. J'aperçois mon avion, il s'appelle Audrey Hepburn de son petit nom. J'adore encore plus cette compagnie. Environ neuf heures d'avion supplémentaires devant moi, je suis seule dans mon trio de sièges au bord du hublot. Les passagers entrent et personne ne s'assoit à côté de moi. Chaque fois que quelqu'un passe et continue tout droit, je me dis : *yesss!* Je souhaite si fort d'être seule afin de pouvoir m'étendre de tout mon long et de profiter pleinement du petit buzz de ma mélatonine, mon nouvel allié pour pallier le décalage horaire. J'entends les portes d'Audrey Hepburn se fermer, j'ai trois sièges aux accoudoirs relevés, trois couvertures de polar mince, trois mini-oreillers synthétiques pour moi toute seule. Un pas de plus vers la première classe. Ma mère doit avoir entendu ma prière. Et la routine KLM recommence. Les écouteurs, le shooter d'eau et les amandes ultra-salées, la lingette et le chariot de bouffe. Une minibouteille de vin, peut-être deux, un comprimé de mélatonine, mon trio de literie et je m'endors. Cinq heures plus tard, je me réveille juste à temps pour la tournée de crème glacée napolitaine. Crème glacée, un autre film, un documentaire cette fois-ci, histoire de rester collée à la réalité. Je retrouve le bonheur du moment présent.

Je me relève, les cheveux en bataille et je m'assois un peu pour observer ce qui se passe. Jocelyne (elle ressemble vraiment à une Jocelyne) fait ses exercices pour améliorer sa circulation sanguine devant la porte de secours. Monte, descends, monte descends. Pas tant de vigueur, Jocelyne, je ne voudrais pas te ramasser à plat ventre à cause d'une zone de turbulences. Gérard ronfle depuis le début du vol et sa tête ne cesse de tomber sur l'épaule de sa voisine de siège, une Asiatique timide. Et Clémentine tète encore sa suce du haut de ses six ans, sinon elle pique une crise. Et ça, personne ne veut d'une crisette de Clémentine. À voir sa tronche, on peut tous très bien s'imaginer la scène terrifiante.

Je m'allonge à nouveau et je regarde notre trajet sur l'écran. Nous survolons maintenant l'Éthiopie. Il fait déjà nuit et il reste à peine deux heures avant d'atterrir à JRO. Ça me laisse tout juste le temps de plonger dans un autre film, le dernier que j'ai regardé avec ma mère. Je pleure tout le long. Je revois plein de souvenirs de nous deux défiler dans ma tête. Notre premier voyage en avion ensemble, j'avais trois ans et demi. Je m'en souviens comme si c'était hier : *Jaws* jouait sur le seul écran de la section. Nous étions allées voir ma grand-mère dans son condo à Fort Lauderdale, puis à Disney, avec les tours en tricycle géant, les canards dans l'étang et les crêpes épaisses avec trop de sirop de poteau et une boule de beurre fouetté sur le dessus. Moi qui pensais que c'était de la crème glacée. Puis je pense à toutes les fois où nous allions cueillir des fraises à la Saint-Jean-Baptiste. Je mangeais une fraise pour chaque fraise que je mettais dans mon panier. J'ai aussi un souvenir de maux de ventre qui venaient avec ça. Bon. Je ne suis plus du tout le film. Je sèche mes larmes avec un bout de couverture en polar et j'attends. Comme un baume, nous entamons notre descente vers JRO. Une fois que l'appareil s'arrête complètement, j'ai toujours cette attente mal gérée envers les passagers d'être d'une efficacité redoutable pour sortir de l'avion. Ramasse ta maudite valise, passager d'en avant qui n'a pas de force dans les bras pour la descendre du porte-bagage. Je vais t'apprendre à voyager léger, moi. Allez, mamie! Pas le temps pour les courbatures, tu n'avais qu'à prendre tes comprimés de Robaxacet au tout début de la descente.

En sortant de l'avion, je prends une grande bouffée d'air. Ça sent le charbon de bois qui brûle. J'ai le sourire fendu jusqu'aux oreilles. J'hallucine. Il fait nuit et j'ai déjà l'impression d'avoir un coup de foudre pour le pays. La douce sonorité du swahili rend les douaniers soudainement si accueillants. Rien à voir avec le *Homeland Security*. Aux deux seuls carrousels à bagages, j'ai presque la nausée à voir défiler le défilé beige de touristes blancs, probablement convaincus qu'aller en Tanzanie rime avec le fait de se camoufler jour et nuit, pour se protéger des féroces animaux de la jungle. Le Serengeti n'est pas la porte d'à côté, fidèles ambassadeurs de vêtements Tilley! Comme d'ha-bitude, je détonne avec mes couleurs et l'absence de cette horrible poche-banane beige que beaucoup trop de touristes se collent à la peau par angoisse de se faire attaquer par un pickpocket au moment de payer leurs souvenirs préfabriqués. Mal de cœur. Une bonne vieille sacoche à bandoulière, c'est plus chic.

En direction de Moshi, les acacias bordent la route bien pavée. Les Massaïs à vélo, les minifourgonnettes pleines à craquer et décorées d'autocollants louangeant le Seigneur, Allah ou Michael Jackson; elles roulent à toute vitesse avec leurs phares sur les hautes. Je ne vois pas grand-chose au-delà de la route, mais je me sens bien. Particulièrement bien.

Il est presque 22 h 30 lorsque j'arrive à l'hôtel. Je devrais aller au lit, mais je n'en ai aucunement envie. J'ai dormi une bonne partie du vol et je suis intriguée par ce sentiment que je n'ai jamais ressenti ailleurs. Je pars à l'aventure près de l'hôtel. J'entends de la musique reggae, ça doit bien venir d'une boîte de nuit pas trop loin d'ici. Je demande quand même au gardien de l'hôtel, un Massaï, de m'y accompagner. Un homme grand et mince, avec des cicatrices tribales sur les joues, vêtu d'une couverture à carreaux et muni d'une lance. Il doit être fiable.

Quelques coins de rue plus tard, j'arrive au fameux Glacier, un immense bar extérieur où on trouve rafraîchissements, musique *live* au son médiocre et bon temps. La foule trop blanche à mon goût pique ma curiosité. De toute évidence, je ne suis pas la seule à avoir envie d'Afrique. Je vais prendre un verre au bar sous la hutte et j'observe, j'écoute. Bien que je ne parle que deux langues, en plus de mon semblant d'espagnol, j'aime bien me camoufler dans le français, une langue moins courue, quand je n'ai pas envie qu'on comprenne ce que je dis. Mais alors là, le swahili, ça c'est du camouflage! Ça ne ressemble à rien. Ça semble suivre le rythme des gens d'ici. Je les écoute converser entre eux. Et je remarque ce blanc qui se débrouille plutôt bien dans cette langue si étrangère. Il s'arrête et me sourit. Je le fuis du regard et me ressaisis. Non, non, non. Pas de distraction. Il s'avance vers moi et m'interpelle.

— Hey! Il me semble que je t'ai vue à JRO tantôt, non? J'étais là pour aller chercher des bénévoles de l'ONG pour laquelle je travaille. Moi, c'est Jay en passant. Toi? me dit-il, l'air absolument décontracté.

Quoi? Il parle aussi en codes d'aéroport!

— Elsie. Tu viens d'où pour parler si bien français?

— Toronto, toi?

— Montréal. Tu viens de Toronto et ton français est impeccable?

— Mais oui. J'ai fait toutes mes études en français.

— Ah oui? C'est rare quand même. Et ça fait longtemps que tu es ici?

— Ça fait presque un an. Je travaille en dépistage et prévention du VIH.

Misère.

Il est beau, grand, il dégage la plus belle énergie au monde et a décidé tout bonnement de passer un an ici. Pas moyen d'être tranquille pendant un seul voyage? Comment se fait-il qu'il ne se passe jamais rien d'aussi facile à Montréal? Qu'est-ce que ma mère me dirait? Et est-ce que je me trompe où les Canadiens anglais ont une leçon de base à donner aux Québécois en matière de séduction? J'avale mon verre de gin tanzanien et prie Jah pour ne pas succomber à la tentation. Il danse bizarrement, par contre. Un peu comme s'il nageait la brasse. Ah! Et il est blond aussi. Je hais les blonds. Il y a toujours bien ça pour me garder de glace devant ses charmes. Les verres s'enfilent, le tempo reste le même. Le reggae. Pas moyen de faire autrement, ça ne donne qu'une seule envie : danser coller.

Misère.

Heureusement, le décalage horaire me rattrape. Je dois dormir. Tout de suite. Et puisque mon gardien Massaï est reparti depuis belle lurette, c'est Jay qui me raccompagne jusqu'à l'hôtel. Il me serre dans ses bras, sans bise. Il est Ontarien après tout. Et il rentre chez lui. Dans ma chambre, sous ma moustiquaire, je tente tant bien que mal de ne pas penser à Jay et de me concentrer plutôt sur la nouvelle trame sonore qui emplit mon espace. Un vieux moteur diesel, un oiseau bizarre, Jay, une noix de coco qui tombe sur le toit de tôle, deux touristes allemands soûls qui essaient de rentrer dans la bonne chambre, Jay…

Le lendemain matin, ou devrais-je dire trois heures plus tard, je me réveille en sursaut. Une guerre civile? Une moto va foncer tout droit dans l'hôtel? Un enfant chiale sur le pas de ma porte? Eh non! C'est le lève-tôt de muezzin. Étant dans un pays où catholiques, protestants, hindous, sikhs et musulmans cohabitent en harmonie, lorsque le muezzin appelle ses croyants à la prière à 5 h du matin, tout le monde est au courant.

Je regarde par la fenêtre, le soleil est encore couché. J'essaie de me rendormir, mais j'ai trop hâte de sortir voir la ville en plein jour. Je laisse les minutes s'écouler jusqu'à ce que le soleil se lève enfin. Je regarde à nouveau dehors. Une dame en face balaie son entrée de terre battue, un homme transporte un immense chariot de pastèques, et le mont

Kilimandjaro se montre le bout du sommet, juste pour moi.

Je me demande bien où Jay habite. Il disait hier qu'il n'avait que cinq minutes de marche à faire pour rentrer chez lui. OK, qu'est-ce que je fais, là? Aujourd'hui, je rencontre Grace, la responsable de l'ONG qui soutient le centre des femmes où je vais m'installer le temps de mon séjour, un point c'est tout. Je me ressaisis et je laisse encore les minutes s'écouler le temps que les boutiques ouvrent et que je puisse aller manger et m'acheter un téléphone cellulaire. La dame d'en face place quelques chaises de patio en plastique rouge, bien identifiées «Coca-Cola». Ces éternels envahisseurs. Elle doit bien avoir de quoi manger. Je traverse la rue : les voitures, les motos, les minifourgonnettes-transport-en-commun, tout le monde roule en sens contraire, ex-colonie britannique oblige. L'air rêveur et touriste à souhait, je traverse la rue en vitesse et m'adresse à la dame avec les quelques mots de swahili que je connais. Merci au *Roi lion*!

— *Jambo!*

— *Sijambo, habari yako?*

— Euh…

— Tu veux un chai et des *mandazi?*

— S'il vous plait, oui, mais c'est quoi, des *mandazi?*

— Des beignets à la muscade.

— Oh! OK. Euh… *Asante!*

Super. De la friture pour déjeuner. Le temps que l'eau bouille et que le thé épicé infuse : dix minutes. Et les beignets? Bien sûr, il faut préparer la pâte, laisser chauffer l'huile et frire les beignets. C'est l'Afrique. Je dois décélérer au plus vite. Trente minutes plus tard, mes beignets sont enfin prêts et brûlants. Mon premier très modeste déjeuner en Tanzanie. Je suis aussi excitée que si je mangeais un brunch pascal dans un Relais & Château.

Je vois plus loin que la boutique de téléphones cellulaires vient d'ouvrir. Ils ont environ une trentaine d'appareils. Je prends le moins cher, à 35 000 shillings, environ 25 gros dollars, et je m'achète des minutes pour l'équivalent de deux dollars, pas de contrat, ni d'extra, merci bonsoir. Je sors de la boutique et tombe face à face avec Jay.

— Hey, Elsie! *Habari za asubuhi ?*

— Euh, *jambo?*

— Ha! *Habari za asubuhi*, ça veut dire « nouvelles du matin ». Donc, en gros, comment ça va ce matin?

— Bien. Comment je dis bien?

— *Nzuri* ou *poa* ou *safi*. C'est facile de bien aller quand il y a autant de façons de le dire, non?

— Attends, il va falloir que j'écrive tout ça, sinon je le retiendrai jamais. En tout cas, il faut que j'aille rejoindre la responsable de mon ONG. Ça fait que... à plus!

— *Subiri kidogo*, ça c'est « attends un peu ». Elle est où ton ONG?

— Il me semble que c'est quelque part comme Rau.

— *Great*, moi aussi je travaille dans ce quartier-là.

Great ? Pas tant *great.* Comment je fais, moi, pour rester concentrée s'il est pour se pointer à tout moment? Je rejoins Grace au Coffee Shop à 11 h, un petit café sur Kilima Road avec une cour intérieure entourée de haies d'un vert amazonien, des parasols faits de tissus africains et où le café est buvable. Dommage qu'ils exportent pratiquement tout ce qu'ils produisent de bon. Grace arrive avec 15 minutes de retard. Ou est-ce moi qui suis trop ponctuelle? Elle prend un Fanta au fruit de la passion, un peu plus exotique qu'une orangeade quand même. Elle me présente les différents projets du centre et des cas de jeunes femmes qui s'en sont sorties, puis nous partons visiter une école où plusieurs jeunes mères apprennent différents métiers pour devenir autonomes financièrement.

Dans la première salle, c'est le cours de couture, dans la deuxième, la tenue de livres, et dans la troisième, le cours de tricot surtout pour les uniformes scolaires. Les femmes sont très réservées, ricanent nerveusement quand elles se présentent et sont extrêmement polies. Ça en est presque troublant. Pas très adéquate, je ne sais pas comment les saluer poliment en swahili, je porte des jeans un peu déchirés dans le bas et des gougounes en caoutchouc. C'est ce qu'elles mettent pour aller dans la douche, pas pour aller travailler. Maudite touriste. Elles sauront sans doute me dompter rapidement. Grace me montre aussi l'immense jardin communautaire que la sœur responsable de l'école a mis en place pour s'assurer que les femmes dans le besoin puissent en profiter dans les mois les plus difficiles. Je n'ai jamais vu autant de générosité au mètre carré.

Encore éblouie par la beauté de mon environnement de travail des prochaines semaines, je me laisse guider vers le centre. Alors que nous passons les grandes portes en métal de la clôture qui entoure la maison, Jay passe en moto.

— Hey, Elsie! Je sais où tu habites maintenant. Ha! ha!
Et il continue. Je lui envoie la main timidement, je souris et je sens

soudainement mon cœur battre plus vite. Juste un peu. Pas moyen de changer la routine. Ma routine. Bien loin du 9 à 5, je dois m'avouer que j'ai une routine incontournable à l'étranger. Je débarque, un regard, une nouvelle idylle amoureuse. À tout coup. On peut dire qu'à ce point-ci, c'est chronique.

À la tombée du jour à 18h pile, après m'être installée dans ma chambre dans la maison adjacente au centre des femmes, je vais rejoindre Grace pour le souper, ainsi que les quelques femmes et leurs bambins hébergés ici. Au menu, des chapatis comme dans les restos indiens, des lentilles au lait de coco, de l'*ugali*, cette espèce de pâte qui a l'air d'une polenta blanche, le féculent de résistance national, et une sorte de légume vert feuillu sauté.

— C'est quoi ça? Des épinards, non?

— Non, ça s'appelle *sukuma wiki*, ça veut dire « pousse la semaine », littéralement.

— Hein? C'est ben drôle. Ça a l'air bon, en tout cas.

Tout est bon, modeste encore une fois, mais bon, particulièrement les lentilles et les chapatis, bien plus gras que la version indienne. Je ne comprends absolument rien de ce qui se dit à table. Je souris et j'espère seulement qu'un jour, je pourrai aussi me camoufler dans cette mélodie. Les petits poux ne mènent pas de train, c'est à se demander s'ils ne sont pas endormis à moitié ou sous médication causant la somnolence. Violaine les adorerait. Bien loin du Toys «R» Us et des crises existentielles pour avoir la dernière bébelle. Ici, il n'y a pas de dernière bouchée pour maman ni de simulation d'avion pour faire avaler une cuillère de plus.

Après le souper, on ne me laisse pas faire la vaisselle. Je me sens impolie, encore inadéquate, et j'ai l'impression d'être Sa Majesté. Pas certaine d'aimer ça. Je les regarde faire ou je me sauve dans ma chambre? Grace me tend un cahier de notes d'une ancienne bénévole qui a déjà donné mon cours. C'est tout ce que je sais à propos de ce qui m'attend demain. J'esquive la scène de malaise sous prétexte que je dois aller lire ça pour préparer mon cours. Le cahier est détaillé comme un procès verbal d'ordre professionnel. Je lis les notes du premier cours, c'est comme si j'y étais. Ça va aller. J'en profite pour passer un coup de fil à Steph.

— Steph, c'est moi.

— Ma belle Elsie. Comment tu vas? Est-ce que la Tanzanie t'apaise autant que tu voulais?

— Jusqu'à maintenant, vraiment. Pis c'est tellement bizarre, je l'ai senti tout de suite en sortant de l'avion.

— Wow! Ça doit te faire du bien.

— Tellement! Je pense encore à ma mère, évidemment, mais vu qu'elle n'est pas censée être ici, ça passe mieux on dirait.

— Je comprends donc! Si ça peut te faire sourire, il y a ma dernière *date* qui m'a rappelée hier. On se revoit la semaine prochaine et c'est lui qui cuisine. J'ai ben hâte de voir ça!

— Parle-moi de ça! Tu me tiendras au courant. Bon, je te laisse, le décalage me rentre encore dedans. Mais au moins tu as mon numéro. On se texte souvent, OK? Je t'aime!

— Promis. Moi aussi je t'aime. Ciao!

Elle mérite tout le bonheur du monde.

Je brosse mes dents avec l'eau du robinet. Ça développe les anticorps, il paraît. Je me faufile sous la moustiquaire. Ça sent un peu trop l'espèce de produit chimique qu'ils mettent pour éloigner les moustiques. Rien de parfait. Je commencerai mon sevrage de mélatonine demain. Mon rythme circadien accélère en mode sommeil et je m'endors paisiblement.

Un peu à l'écart du centre-ville, pas de muezzin pour me réveiller ce matin. Le déjeuner est servi à 7 h et inclut une boîte de conserve de Africafé, le café instantané tanzanien. Épouvantable. Il ne me reste plus qu'à me rabattre sur le lait en poudre et le sucre infesté de fourmis pour adoucir ce désastre liquide. Essayons maintenant d'avoir l'air éveillé pour mon premier jour de classe. Des cernes mauves sur de la peau blanche demeurent difficiles à camoufler, même avec un cache-cernes hors de prix.

Grace me présente à celles qui n'étaient pas au souper la veille et me laisse mener le bal devant ces jeunes femmes blessées, vulnérables, mais qui me paraissent pourtant si fortes. Mes histoires de cernes et de fatigue sont tellement superficielles. Des faux problèmes d'Occidentaux.

Passons aux choses plus sérieuses, comme mon mandat pour le prochain mois. Puisqu'elles ne parlent pas nécessairement anglais, le but est de leur enseigner un vocabulaire suffisant pour se débrouiller en affaires, avec les touristes surtout. Elles apprendront ensuite comment faire un plan d'affaires avec une étude de marché afin de démarrer une entreprise qui ne ressemblera pas à toutes les autres. Parce que vendre des bananes au marché à Moshi, ce n'est pas la meilleure stratégie, disons. Il y en a partout, des bananes. Même si je n'ai pas vraiment d'aptitudes en comptabilité, le simple fait d'être travailleuse autonome me permet de maîtriser les notions de base pour ne pas trop se retrouver dans le rouge.

Dès les premières minutes de mon cours, j'ai l'impression de reprendre vie, de servir à quelque chose. Et il y a Irene, cette orpheline de 19 ans, qui a deux enfants, un de deux ans et l'autre de six mois. Son mari est alcoolique et boit tout ce qu'elle gagne, mais elle persiste dans l'idée d'élever sa famille dignement, de parvenir à leur payer une bonne éducation. À des années-lumière de ma réalité, on se comprend tout de même sur le point de l'orphelinat, parce que même si mon père n'est pas mort, je l'imagine ainsi. Ça me fait moins mal. Dès le premier jour de classe, je perçois sa détermination à apprendre, à améliorer sa vie. Elle est aussi très patiente avec moi, chaque fois que je prononce des mots en swahili tout croches ou que je lui demande de ralentir parce que j'écris chaque nouveau mot. Une jeune femme particulièrement inspirante.

Premier jour de classe terminé, je sors chercher du savon à lessive, du crédit pour mon téléphone et du thé, parce que je ne crois pas pouvoir boire du Africafé chaque matin. Je trouve tout ça à la *duka* du coin, une espèce de dépanneur grand comme un garde-robe, dans lequel on peut trouver du savon, des bonbons, des œufs ou du gin en sachet. J'ai à peine fait deux minutes à pied pour rentrer au centre que je croise encore Jay sur le chemin du retour.

— Hey, Elsie! *Vipi* ?

— Euh, *nzuri* ?

— *Good*, très bien. *Vipi* c'est *what's up*. Comment a été ta première journée?

— Bien, ou devrais-je dire *poa*? Ça a bien été pour une première journée. Ces femmes-là sont tellement touchantes avec leur histoire. J'en reviens pas. Ça met les choses en perspective, disons.

— Totalement. Veux-tu passer chez moi ce soir? Je voudrais te montrer quelque chose.

— OK. Je devrais avoir fini à 20 h.

— *Haya, baadaye.* À plus tard!

Ça va de mal en pis avec mon défi de demeurer tranquille cette fois-ci.

Au menu du soir : *ugali*, haricots rouges et ce même légume vert feuillu, *sukuma wiki*. Est-ce que les chapatis ne sont que pour les soirs de fête? Dommage. C'est Steph qui serait contente de me voir manger des bines comme une personne âgée constipée. Aussitôt le repas terminé, Jay me texte pour me dire qu'il passe me prendre finalement et qu'il m'attend à l'extérieur. Maintenant. Je dis à Grace que je sors un peu avec le Canadien que nous avons croisé avant-hier. Elle sourit en coin et m'ordonne de lui demander de me raccompagner à mon retour. Elle dit quelque chose en swahili aux femmes à table et elles rient. Certainement de moi.

— Elsie, *habari za usiku*?

— Attends, c'est quoi ça? Nouvelles du soir, j'imagine?

— Oui! Excellent! Wow! Tu es bonne avec les langues.

— Je suis traductrice. Ça fait partie de moi, je suppose. Alors, qu'est-ce que tu voulais me montrer?

— Il faut sortir du quartier un tout petit peu.

— OK…

Une dizaine de minutes de marche plus tard, assez loin des lampadaires

du quartier, je vois surgir le sommet du Kilimandjaro, ses neiges bleu-
tées éclairées par la pleine lune. J'en ai le souffle coupé.

— Oh! Wow! C'est ben beau! Viens-tu ici chaque pleine lune avec
une bénévole différente?

— Mais, non. *Come on!* C'est la première fois que j'amène quelqu'un
ici, en fait. Mais c'est vrai que je viens ici chaque mois depuis que je suis
arrivé. C'est impressionnant, non?

— C'est comme irréel, sérieux.

Je le crois à moitié. Cela dit, j'aurais pu y passer la nuit. Jay me parle de
sa journée, de ce qu'il a fait depuis qu'il est ici, de ses ambitions, des
obstacles qu'il rencontre le plus souvent. Ça se prolonge sur les fausses
raisons que les gens se donnent pour ne pas faire ce qu'ils veulent
vraiment dans la vie, la vie rangée, plate, sans rebondissement. Nous
sommes de la même race. Des nomades.

Quoi qu'il en soit, nomade ou sédentaire au coton, emmener une fille
voir les étoiles ou, dans ce cas-ci, les neiges scintillantes du Kilimandjaro, c'est sans doute la tactique la plus classique pour charmer la gent
féminine. Si Jay était maigrichon, bègue et avait les dents toutes
croches, ce moment serait-il aussi magique? Sûrement pas. Mais même
s'il est blond, Ontarien et qu'il danse tout croche, c'est à ce moment
précis que je baisse mes gardes, que j'abandonne complètement mon
objectif de ne pas me laisser charmer. Je défais toute forme de résistance et me laisse tenter. Au diable les restrictions! Comme une fille à
la diète pour qui les interdits sont beaucoup trop appétissants, je triche.
Et puis, il ne fait que bonifier ce voyage thérapeutique. Je dirais même
que je peux profiter du fait qu'il est ici depuis assez longtemps pour me
faire découvrir tous ces petits paradis perdus qui ne se retrouvent jamais
dans le *Lonely Planet*. En fait, c'est une sorte de Daniel, mais en plus

accessible. Toronto, c'est quand même plus près qu'Indianapolis. En avant le progrès!

Trois heures plus tard en Afrique de l'Est, je m'empresse de rentrer pour ne pas inquiéter Grace. Il me raccompagne et ne me fait pas la bise, en bon Ontarien. J'ai plutôt droit à une poignée de main à la tanzanienne et à une tape sur l'épaule. Pratiquement aussi chorégraphiée que la salutation du *Club des 100 watts*. Je préfère tout de même ses semblants de premiers pas à n'importe quelle *date* en sol montréalais. Un peu de maladresse, les étoiles dans les yeux, c'est avec le sourire aux lèvres que je passe la porte grinçante en fer forgé.

En toute simplicité, la Tanzanie dans son ensemble est réconfortante. Le sourire des gens, leur grande compassion, le fait que pour eux, il n'y a jamais vraiment de problème. *Hamna shida*, qu'ils disent tout le temps. Tout ça est comme une berceuse pour moi. Je n'aurais pas pu choisir une destination plus apaisante pour me faire renaître après toute cette tristesse. Tout aussi simplement, beaucoup de bien s'installe entre Jay et moi. Rien de trop grand, que du bon temps. Presque tous les soirs, il vient me voir. Je me sens comme une adolescente qui commence à peine à fréquenter des garçons. Chaque matin est un jour heureux. Les femmes du centre rient de moi avec mes comportements de blanche, comme de me mettre de la crème solaire, de me tenir au soleil pour prendre des couleurs, de ne pas oublier de manger mes portions recommandées de fruits et légumes… Et la journée se termine toujours en beauté, parce que Jay vient me rejoindre et me fait découvrir un nouveau resto, ou un nouvel endroit méconnu de tous les guides de voyage.

Après ma première semaine de bénévolat, il m'invite à manger chez Milan's, un restaurant indien tout rose, les murs, les chaises, les menus. Pourquoi? Aucune espèce d'idée. Une chose est sûre, les lassis sont à tomber par terre. Et même si nous attendons pratiquement une heure avant d'être servis, les pains naans et la panoplie de plats en sauce mettent la barre haute à tous les restos indiens montréalais. Encore plus charmant : le repas pour deux à 10 $, boissons incluses. Pour rentrer à Rau, même si c'est un peu loin du centre-ville de Moshi, nous marchons. Nous nous arrêtons prendre un thé au gingembre chez les Massaïs sur la rue et continuons à marcher. Une petite pause au rond-point puisque le ciel est dégagé et que le sommet du Kili apparaît brièvement. C'est à ce moment-là que Jay arrête un instant d'être Ontarien et m'embrasse. Pas sur les joues. Pas trop invasif avec sa langue ni inapte à en faire bon usage. Une de mes anciennes fréquentations m'a déjà dit qu'il « n'était pas vraiment langue »; Jay « est langue » à la perfection. Main dans la main, nous rentrons chez lui. Comme Daniel, il allume des chandelles dans son petit salon. Nous regardons un film parmi la centaine qu'il possède. En Tanzanie, les films se vendent sous forme piratée, à coup de 20 films par DVD pour la modique somme de 6 000 shillings (4 $). Parmi les DVD de sa collection, il y a la filmographie de Leonardo DiCaprio contre celle de Matt Damon, une collection de comédies américaines, Bollywood série 1, 2, 3, 4 et 5 ou encore des mauvais films d'action mettant en vedette Jean-Claude Van Damme, Steven Seagal ou Sylvester Stallone. Je m'initie au Bollywood, que je ne connais pas du tout, et j'en profite pour jeter un coup d'œil aux traductions. La mise en scène surjouée risque fort bien de provoquer plusieurs éclats de rire. Le film est quétaine, prévisible et les traductions n'ont aucun sens, tellement que j'en perds le fil de l'histoire. Les éclats de rire mutuels mènent facilement aux rapprochements maladroits, qui mènent ensuite aux baisers et inévitablement à la chambre à coucher. Faire l'amour, c'est doux avec lui. Ça me déstabilise presque, même si c'est loin d'être plate. Jay embrasse longtemps, caresse chaleureusement et prend son temps pour faire durer le plaisir. Beaucoup comme Daniel. Sa tendresse m'apporte tout le réconfort que j'aurais tant aimé avoir de Julian durant les semaines suivant le décès de ma mère.

Au fil des semaines, les femmes progressent lentement, mais sûrement dans leur étude de marché et leur plan d'affaires. Certaines idées ne tiennent pas tellement la route. Pourquoi vendre des *mandazi* au marché du samedi, alors que cinq autres femmes le font? Pourquoi ne pas plutôt installer un atelier de couture près de l'hôpital, où tout le monde travaille en uniforme, au lieu d'aller sur la rue principale où il y a des couturiers à tous les coins de rue? Pas que je sois si douée que ça en business, mais il y a tout de même des évidences qui me frappent dans leurs démarches. Malgré tout, elles ne lâchent pas, elles foncent, elles feront tout pour le bien de leurs enfants. De bien grandes femmes.

Avec l'approbation de Grace, un premier groupe d'entre elles obtient une forme de microcrédit pour démarrer leur entreprise. Et le reste du groupe agit à titre de motivateur pour que le premier rembourse son emprunt à temps. Au fil de mon enseignement, je développe des liens de plus en plus forts avec Irene. Les autres femmes sont plus réticentes, ce qui est tout à fait normal, quand j'y pense. Les bénévoles viennent pour un temps, mais finissent toujours par s'en aller. Pour les blancs de passage, la Tanzanie est un bain de culture étrangère, une source inépuisable d'anecdotes, de recettes traditionnelles qui se transmettent de génération en génération. Nous siphonnons tout ce dont nous avons envie, pressés par le temps de nos vacances écourtées par notre *job steady*, et puis nous rentrons, sans leur laisser quoi que ce soit en retour. De petites éponges égoïstes. Et après, nous sommes insultés quand ils osent nous demander de l'aide pour financer l'école de leurs enfants. Pas que j'apprécie d'être perçue comme un guichet automatique, mais je constate le déséquilibre, l'injustice. J'en parle avec Irene pour m'assurer d'être la plus appropriée possible. Je ne la siphonne pas. Elle ne me demande jamais rien. Pas même 50 cents pour acheter des minutes sur son téléphone.

Et elle me fait éclater de rire lorsqu'elle me pose des questions sur des habitudes de blancs qu'elle ne comprend pas.

— Pourquoi marchez-vous sans que ce soit pour aller quelque part en particulier? me demande-t-elle, l'air de ne rien comprendre.

— Tu sais, chez nous, les gens prennent leur voiture pour se déplacer, travaillent assis à un bureau et mangent trop la plupart du temps, dis-je en généralisant. C'est en partie pour ça qu'on marche pour le plaisir. Ça change le mal de place.

— Et pourquoi aimez-vous tant la salade? Des légumes, ça se mange cuit.

— Ha ha! Pourquoi? C'est bon de la salade. Je te ferai goûter à la mienne. Tu vas voir, c'est rafraîchissant quand il fait chaud.

— Je ne suis pas si sûre de ça. Mais le pire, c'est votre habillement, quand vous venez ici. Tout le monde sauf toi porte des vêtements de sport ou hippies. Irais-tu vraiment travailler habillée comme ça?

— Je sais! C'est horrible! Le pire, ce sont les pantalons *zip-off* et tous ces vêtements avec beaucoup trop de poches. Ça pourrait compter comme un bagage à main dans l'avion.

Ces moments-là sont si précieux. Tout comme mes fins de semaine passées chez Jay. Il a le meilleur sens de l'humour, toujours au second degré, subtil, parfait. Ça fait à peine quelques semaines qu'on se connaît et déjà, j'arrive à lire dans ses pensées. Un seul regard : fou rire partagé. Il a cette manie d'analyser les gens, de les caricaturer sans être condescendant. Son imagination stimule la mienne, je fais quelques références à des personnages de films que j'ai vus des centaines de fois. Il comprend exactement de qui je parle.

Il y a de ces hommes qui nous font éclater de rire. Tout le temps.

Tranquillement, nous développons certaines habitudes. Nous allons au bar le Glacier le vendredi soir, nous allons chercher notre manioc frit à la tombée du jour le dimanche soir, et nous cuisinons avec les moyens du bord (ce qui me fait m'ennuyer énormément de mon four). C'est bizarre, mais ce genre de routine ne m'effraie pas du tout. Sans doute parce qu'elle est temporaire, à très court terme et si différente de Montréal.

Pour mon dernier weekend, nous partons en safari de deux jours. En camping, c'est moins cher et c'est la basse saison en ce moment. Il y a toujours un risque d'orage et d'averses dispersées pendant la saison des pluies, ce qui, dans notre cas, annonce surtout beaucoup de plaisir. Premier arrêt, le Parc national Tarangire, le siège social de la mouche tsétsé, celle qui donne la maladie du sommeil, alias qui tue. Il paraît qu'elles ne sont pas porteuses dudit parasite tueur lorsqu'il n'y a pas de bétail dans les environs. Et le troupeau de vaches des Massaïs à l'entrée du parc, est-ce que ça compte? Il paraît aussi que le bleu les attire, d'où les grands morceaux de tissus collant installés un peu partout dans le parc pour les emprisonner. Je porte une veste bleue royale. Aussi bien dire que je suis suicidaire malgré moi. À voir ma veste zippée jusqu'au cou, Jay peut bien rire, dans sa veste kaki et ses pantalons longs. Voilà que nous apercevons notre première famille d'éléphants. Ils sont douze et ils sont gros. Il paraît que même les tout-petits pèsent 120 kilos à la naissance. Mais ils sont tellement *cutes*! Je retombe en enfance. Tiens, une girafe. Deux! Maintenant que je les ai devant moi, je les trouve trop bizarres! Quel drôle d'animal! Leurs minicornes poilues, leur pelage au motif hallucinogène, leur longue langue mauve qui s'enroule autour des branches d'acacia piquantes, comme s'il n'y avait rien de plus doux et délicieux.

Un brouillard épais se dépose sur la savane tellement le temps est humide. On se croirait dans un film fantastique. Un elfe pourrait sortir de la forêt au loin et ça ne m'étonnerait même pas.

Notre guide a les meilleures histoires de comportements animaliers, comme le fait que les zèbres vont se cacher dans les troupeaux de bétail des Massaïs pendant la saison des pluies pour fuir les prédateurs. Contrairement à plusieurs autres tribus, les Massaïs ne chassent pas les animaux sauvages, sauf en cas de défense et à l'exception du lion, que les garçons chassent lors de leur initiation pour devenir des hommes. Pour une raison que j'ignore, les zèbres et autres proies habituelles ont compris ce concept-là depuis un bout.

Le soir venu, c'est au rebord du cratère du Ngorongoro que nous plantons notre tente. Une tente de piètre qualité qui aurait pu être achetée au rabais chez Canadian Tire. Le ciel se couvre de nuages noirs. Je lève les yeux au ciel et regarde Jay.

— Aussi bien se le dire tout de suite, on va flotter cette nuit.

— Tellement. Au pire, on ira dormir dans la jeep.

Tiens, un éléphant s'approvisionne en eau à même le réservoir du site de camping. Dire que c'est la même eau qui sert à faire cuire nos pâtes et à faire notre thé. Steph capoterait sur le manque d'hygiène et de salubrité. Ma mère serait du même avis que Steph. De mon côté, jusqu'ici, tout va bien. Pas de crampes abdominales à l'horizon. Après le souper à base d'eau de trompe d'éléphant, la tente inappropriée nous attend.

Comme d'habitude, nous parlons, nous parlons et nous parlons de tout. La pluie commence à humecter les murs de notre tente en soi-disant papier de riz. Sur le coup, la pluie est apaisante. Elle fait un bruit de fond pour masquer nos ébats amoureux. Puis le débit augmente. Puis j'ose poser mon index sur le mur d'eau de la tente.

— Jay, à ce débit-là, on est complètement trempés d'ici une demi-heure.

— OK, reste ici, je vais aller chercher les clés de la jeep. Essaie de ramasser nos choses au centre de la tente pendant ce temps-là.

En sortant de la tente, Jay fait le saut.

— Elsie, il me semble qu'il y avait pas de roche devant notre tente.

— Hein? Ben non. Qu'est-ce que tu dis là?

Alors qu'il pointe sa lampe frontale vers ladite roche, une paire d'yeux de buffle se retourne vers nous. Un buffle avec d'immenses cornes, comme dans *Crocodile Dundee*.

— Euh… OK, ça aiderait peut-être à notre survie si tu arrêtais de l'éclairer tout droit dans les yeux avec ta frontale. Dépêche-toi d'aller chercher les clés. Je ramasse nos affaires.

Jay prend les clés de notre guide, qui lui recommande fortement de ne pas retourner à la tente. Jay me fait signe de sortir. Il prend la moitié du stock, je le suis en courant sous les averses torrentielles africaines en me mordant les lèvres pour ne pas crier de terreur. Dans la jeep, au sec, je souffle un peu. J'ai envie d'aller aux toilettes. Jay rit de moi et fait des bruits de robinet qui coule. Psss… Je ris aux larmes et j'ai du mal à pratiquer ma rétention urinaire. Je finis par sortir à côté de la jeep, lampe frontale au front, boule de papier de toilette dans une main et équilibre dans l'autre. Je n'ai jamais pissé aussi vite de toute ma vie.

Le lendemain matin, le guide nous apprend la bonne nouvelle : lorsqu'il pleut et que les buffles dorment, les lions en profitent souvent pour chasser. Ah! Ben oui. Je suis bien contente de ne pas avoir appris ce léger détail hier soir. Un petit thé à l'eau de trompe d'éléphant et nous descendons dans l'immense cratère, devenu l'habitat d'une multitude d'espèces d'oiseaux et d'animaux. Des zèbres, il y en a partout, tout comme des gnous et des buffles. La jeep sillonne la route de terre ocre, et le guide, alerte des yeux et de sa radio, communique avec les autres jeeps pour les avertir s'il voit, par exemple, des lionnes en train de chasser une antilope. Surprise sur les ondes : un autre guide aperçoit un lion en train de manger une carcasse de buffle sur la route de droite. Allons-y! Une vingtaine de photos plus tard, nous pouvons continuer. Nous roulons, nous roulons avec nos têtes sorties du toit de la jeep, le gros sourire et le vent en plein visage. Maman est sûrement rassurée de me voir heureuse comme ça, plus en paix. Wow! Des rhinocéros! Il n'en reste plus qu'une vingtaine dans le parc. C'est quoi les chances d'en voir deux en même temps? Prends ça, Disney!

Sur la route du retour vers Moshi, Jay sourit, l'air songeur. Je sens qu'il s'attache. Il me dit à la blague que ce serait super si je restais en Tanzanie plus longtemps, que nous pourrions monter un super projet ensemble, que nous pourrions voyager ailleurs en Afrique de l'Est, au Rwanda, au Malawi. Blague après blague, je commence à le trouver moins drôle. Je ne me laisse plus rêver. Ça fait trop mal.

— Jay, tu sais, si jamais je reviens en Tanzanie, ce sera pour moi et personne d'autre. Si tu es encore ici, tant mieux, mais je reviendrai pas pour toi. Prends-le pas mal, mais je suis simplement honnête et réaliste.

— Moi aussi, je suis honnête quand je dis que j'aimerais ça que tu restes plus longtemps.

— Je sais. Mais j'ai tellement eu d'histoires dans le passé où des gars me suppliaient pratiquement de venir les voir, et puis une fois sur place, ils voulaient plus rien savoir. Et j'en peux plus de tout ça. Je préfère la franchise.

Après Indianapolis, l'Australie et l'Argentine, mon système d'alarme embarque enfin.

Mon départ est le lendemain soir, alors je profite de mes derniers moments avec Jay, sans regret, ni drame de fin de séjour. Le soir, au centre, Irene me remet le plus beau des *kitenge*, ce grand morceau de tissu qui sert à faire des robes colorées. Grace m'offre une autre paire de sandales de cuir ornées de petites perles, que j'achète compulsivement depuis mon arrivée. Je leur laisse la moitié de mes bagages : mes vêtements, mon mini-ordi, ma lampe de poche rechargeable à l'aide d'une manivelle, mon imperméable… J'achète aussi quelques poules pour que Grace puisse donner des poussins aux femmes au fur et à mesure qu'ils naîtront.

Je passe ma dernière journée avec Jay. Il m'amène faire un tour au marché aux puces, où se retrouvent les sacs de vêtements et de souliers qu'on donne aux pauvres. Moi qui déteste fouiller pour dénicher la perle rare à travers une pile de vieilleries, j'hallucine quand je tombe sur le t-shirt de l'école de musique qui était à côté de chez moi quand j'étais petite; les logos de la caisse populaire au dos du t-shirt d'un des marathons de Montréal; et un jersey de l'équipe de soccer de La Prairie datant de 1987. Jay se trouve des nouvelles Converse et je refais pratiquement ma garde-robe au complet pour la modique somme de 40 000 shillings (environ 25 $).

En revenant au centre-ville en *daladala* (les fourgonnettes décorées de louanges brillantes, toujours plus que pleines), il me rappelle une énième fois à quel point ce serait génial si je venais passer plus de temps en Tanzanie. Il me regarde avec ses yeux doux, tout aussi doux que ses baisers. Je souris en ne croyant pas à ce qu'il me dit. Je continue de tenir mon bout. Je dois briser mon *pattern* relationnel.

Puis, le soir venu, il me raccompagne à JRO. Il me tend une lettre qu'il me fait promettre de ne lire qu'une fois dans l'avion. Terriblement curieuse, je tiens quand même ma parole. Il verse une larme, je ris un peu de lui. Suis-je désormais blasée de ce scénario qui se répète chaque fois? J'ai envie de lui dire : ne t'en fais pas, tu penses que je suis bien spéciale maintenant, mais tu verras, tu vas t'en remettre plus rapidement que tu ne le penses. Avant même que je remette les pieds ici, tu auras tourné la page, tu arrêteras de m'écrire, ou encore tu auras réalisé que le fait que je revienne pour toi est beaucoup trop difficile à gérer. Je pourrais mettre ma main au feu que c'est ce qui se passera. Je l'embrasse sur le front en caressant ses beaux cheveux blonds que j'ai fini par aimer. Je tourne les talons dans mes sandales de cuir et ne me retourne pas.

Dans l'avion, une fois les portes fermées, j'ouvre sa lettre, une page recto verso écrite à la main. Que de bons mots, les plus beaux qu'on m'ait jamais écrits, surtout cette partie-ci :

> *Elsie, tu es la personne la plus exceptionnelle que j'aie jamais rencontrée. Ton énergie, ta perception de la vie, ton être tout entier m'émeuvent. Le simple fait de savoir que tu continueras à faire ton chemin, à parcourir le monde, fait de moi un homme heureux. Toute ma vie, je pourrai repenser à toi, à ton sourire, à ton rire profondément sincère, et cela m'apaisera, m'inspirera à aller plus loin, à suivre mon instinct, comme tu sais si bien le faire.*
> *Avec toute mon admiration, Jay.*

J'ai les larmes aux yeux. Je ne pensais jamais faire cet effet-là à personne. Ce sont les mots que j'aurais tant aimé recevoir de Daniel, ce que j'aurais tant aimé qu'il voit en moi. Comment se fait-il que l'image que je projette paraisse si différente aux yeux de deux hommes qui se ressemblent autant? Est-ce simplement une question d'espace-temps? Pourtant, malgré les années qui passent, je n'en pense pas moins de Daniel. Il demeure plus grand que nature à mes yeux, mon idéal, celui qui me donne des papillons dans l'estomac à l'idée de le voir, de lui parler. Jay est probablement la version plus réaliste de Daniel. Il est intéressé, lui, du moins pour le moment. Mais, comme dans tout bon jeu des aimants, mon intérêt à son égard n'équivaut en rien au sien.

La raison prend enfin le dessus. Est-ce à ce moment-ci qu'il faut faire confiance à la vie?

****

À mon retour, la réalité de Montréal, très loin de celle de la Tanzanie, m'a un peu déstabilisée. Les impatients dans le métro, à la caisse de l'épicerie et sur les routes ont été majoritairement responsables de ce choc du retour. Mon premier à vie. Et c'était sans compter tous ceux qui se plaignaient le ventre plein, à la clinique, au travail, au resto… J'ai vite développé une intolérance sévère envers ceux-là. Je n'étais pas devenue une adepte de la simplicité volontaire, je n'allais pas déménager dans une commune et il n'était pas question de me mettre à glaner dans les poubelles de supermarché, mais je prenais simplement conscience de ce que j'avais, du privilège de choisir quoi manger, quoi faire de ma vie, et de pouvoir voyager autant. Je voulais tellement partager ça avec ma mère. Le deuil m'a rattrapée, comme si son accident venait tout juste de survenir. J'avais souvent le réflexe de chercher son nom dans mon téléphone pour lui passer un coup de fil. Je figeais chaque fois que je le voyais apparaître en tapant une adresse courriel qui avait les mêmes premières lettres que la sienne. Et j'ai fondu en larmes le jour de son anniversaire. J'allais devoir passer à travers chaque moment que j'avais l'habitude de partager avec elle, sans elle : aller cueillir des fraises à la Saint-Jean, nos weekends mère-fille au chalet de ma tante à chaque changement de saison, nos séances de beignes en décembre. Je devais me faire de nouveaux souvenirs, de nouveaux points de repère.

Pendant mon absence d'un mois, Steph n'a pas cessé de revoir son homme, quelqu'un de bien, de respectueux. Philippe cuisinait très bien, finalement. Elle l'a invité à souper à la maison un soir. Je leur ai raconté mon voyage de ressourcement et mon histoire avec Jay, que je n'avais pas encore avouée à Steph. Les deux étaient d'accord pour dire que la lettre de Jay était vraiment touchante et ne pouvait qu'être sincère. Pour une fois, j'étais celle qui se projetait à l'extérieur de tout ça et qui doutait. Philippe et Steph y croyaient plus que moi. Ma nostalgie demeurait pour la Tanzanie, pour tout le bien qu'elle m'avait apporté, pour avoir mis mon deuil sur la glace pour un temps et m'avoir donné un second souffle. La réaction de Steph à ma énième histoire d'amourette outre-mer m'a surprise, et je percevais tout le bonheur entre elle et son homme. Ça me faisait chaud au cœur. Je ne voulais pas douter de Philippe, je souhaitais simplement qu'il soit bon pour elle.

Je devais donc me rabattre sur l'opinion des autres parties pour me faire une idée claire de ce qui se cachait entre les lignes de la lettre de Jay. Un brunch au sommet s'imposait.

Même si la Tanzanie me manquait déjà énormément, j'avais très hâte de revoir les filles, de revenir à ce que j'avais de plus réconfortant ici. Avec mon deuil qui se déglaçait depuis mon retour, j'avais bien besoin de ces trois grandes femmes à mes côtés.

— Elsie, bella, comment tu vas? Ça t'a fait du bien, la Tanzanie? m'a demandé Amélie en arrivant les bras ouverts. Viens-t'en que je te serre dans mes bras!

— Tellement! J'ai eu un vrai coup de foudre, comme jamais je pensais avoir dans ma vie. Un coup de foudre pour le pays, je veux dire, me suis-je empressée de préciser pour la rassurer.

— Dis-moi pas que tu as vraiment résisté à la tentation pis que tu es restée sage pendant tout un mois? a aussitôt demandé Violaine.

— Ouin… non. J'ai pas vraiment réussi à faire vœu de chasteté bien plus longtemps que le temps des vols d'avion pour me rendre sur place. J'ai craqué le premier soir. Pour un Ontarien, pouvez-vous croire ça? Moi, pour un Canadien?

— Non! Je te crois pas. Et qu'est-ce qui cloche avec lui? Laisse-moi deviner : il te trouve géniale, mais a peur d'essayer quoi que ce soit avec toi? m'a questionnée Mélissa.

— Plus ou moins. Il m'a écrit la plus belle lettre du monde. Pis je l'ai amenée avec moi pour vous la faire lire!

— Oh! Oui! Oh! Oui! Wow, ça c'est du bon stock, s'est réjouie Amélie.

— C'est assez intense en fait. Je suis allée scruter son profil Facebook et il y a une fille qui arrête pas d'écrire des petits mots doux sur son *wall*. Je me demande si c'est son ex ou une nouvelle flamme qui est arrivée en Tanzanie avec l'avion qui m'a ramenée ici.

Comme Steph et Philippe, les filles se sont toutes mises d'accord pour mettre Jay dans la catégorie des bons gars qui ne font pas semblant. Elles m'ont dit de ne pas trop m'en faire avec Facebook, que c'était peut-être son ex, mais qu'elle n'était certainement pas une menace pour moi, considérant la lettre qu'il m'avait écrite.

Était-ce mon intuition qui s'était dramatiquement aiguisée avec le temps? Comment se faisait-il que je doutais autant de ses écrits? Ou étais-je devenue cynique à un point tel que je ne croyais plus du tout à l'amour, que je n'arriverais plus jamais à me laisser aimer?

De leur côté, les filles y croyaient encore, elles. Amélie filait le parfait bonheur avec Renaud, son gestionnaire aussi fashionista qu'elle. Mélissa continuait de plus belle avec son ébéniste. Décidément, ça lui avait rapporté rapidement, son achat spontané d'un chiot Jack Russel. Violaine avait éteint tous les ronds qui n'en valaient pas la peine pour n'en garder qu'un seul allumé : Alexis. Elle l'avait rencontré dans une activité de *team building* organisée par son agence de pub. C'est lui qui organisait l'évènement, soit d'aller divertir des jeunes en milieu défavorisé. Elle qui détestait les enfants, elle ne s'est jamais liée d'amitié aussi rapidement avec un jeune de dix ans. Qu'est-ce qu'on ne ferait pas pour un homme! Elle a été patiente ce jour-là, jusqu'à ce qu'il l'invite à souper le soir même. Ils ne s'étaient d'ailleurs pas quittés depuis. Wow! J'étais partie un tout petit mois et tout s'était sensiblement mis en place, paisiblement, comme par magie.

Quand je suis rentrée à la maison après le brunch, Steph était sortie. Je me suis fait un thé, j'ai eu une pensée pour ma mère, et j'ai relu la lettre de Jay dans le divan en « L ». J'ai fermé les yeux et j'ai prié ma mère pour qu'elle m'envoie n'importe quelle forme de signe qui me permettrait d'y voir clair. Un oiseau perché sur une branche devant ma fenêtre, un signe? Une voiture plaquée de l'Ontario en face de mon appart, un signe? Une publicité de Porter dans le journal offrant des vols à prix extrêmement bas pour Toronto, un signe? Pour amplifier la confusion, Grace m'a écrit la semaine suivante pour me dire à quel point les femmes du centre avaient apprécié le temps passé avec moi. Elle voulait me remercier, parce qu'elle avait constaté que je leur en avais appris beaucoup et que leurs projets allaient bon train. Elle a aussi pris soin de me mettre la puce à l'oreille en me révélant qu'elle comptait ouvrir dans les prochains mois un autre centre du même genre à Zanzibar, une île au large de Dar es Salaam, la capitale économique de la Tanzanie. J'étais la bienvenue pour venir l'aider à démarrer le tout.

Une lueur a scintillé dans mes yeux de petite fille.

Moins de 24 heures plus tard, un premier courriel de Jay venait d'atterrir dans ma boîte de réception. Il se demandait pourquoi je ne lui avais pas encore donné de nouvelles depuis mon retour. Il se demandait sûrement ce que j'avais pensé de sa lettre. Mais au lieu de me laisser emporter par ma spontanéité indomptable, j'ai plutôt repris le travail normalement, sans surcharger mon horaire. Pas de fuite, cette fois-ci. Je voulais laisser le temps au temps. Chose que je faisais rarement. J'ai pris plus de temps pour moi, pour faire du yoga avec Mélissa, lire et ne rien faire, aussi. Je n'avais aucune envie de me laisser emporter par une histoire que je redoutais depuis le début. Je ne me laissais plus rêver. Je prévenais le mal.

Lorsque je me suis sentie assez zen, j'ai répondu à Jay. Ça m'avait pris une grosse semaine.

> *Hey Jay!*
> *Vipi? Des nouvelles de Moshi? Désolée pour le retard, je me remets tranquillement au rythme canadien. Je voulais te dire merci pour ta lettre. Ça m'a vraiment touchée. Pour vrai, on ne m'a jamais écrit d'aussi beaux mots. À Montréal, tout roule, même si ma mère me manque terriblement, mais je tiens le coup. Porte-toi bien, rafiki. xx*

Ma mère aurait été fière de moi.

Quelques mois plus tard, Grace m'est revenue avec une proposition aussi claire qu'alléchante pour Zanzibar. L'ONG était prête à me payer le billet d'avion aller-retour et un salaire mensuel suffisant pour vivre là-bas pendant six mois, le temps d'ouvrir le centre et de mettre le service de microcrédit en branle. La cerise sur le *sundae*? Ça me ferait manquer l'hiver québécois au complet.

Quand Steph est rentrée ce soir-là, je lui ai parlé du projet.

— Tu sais, Grace, la dame qui s'occupe du centre en Tanzanie?

— Ouin… Dis-moi pas qu'elle s'est pogné Jay depuis que tu es partie?

— Ben non! Elle veut que j'aille ouvrir un autre centre à Zanzibar. Tu sais, l'île paradisiaque au large de la côte tanzanienne?

— Tu pars quand, pis pour combien de temps?

— J'ai pas encore dit oui. Je veux savoir ce que tu en penses avant. Elle me paie le billet d'avion et un salaire pour six mois. Elle voudrait que je sois là le mois prochain.

— Bon. Voyons voir. Dans le coin gauche, les pour : retourner en Tanzanie gratis, découvrir un nouveau coin de pays, en savoir plus sur une culture qui semble t'avoir fait triper… Pis Jay, on le met dans les pour ou les contre?

— Contre. Je veux pas me déplacer pour un gars cette fois-ci. En fait, j'ai pas vraiment de contre, parce que j'ai même pas à rester à Moshi. KLM m'emmène à DAR, après un arrêt de moins d'une heure à JRO. Pis pour l'appart, ça te dérangerait que je sous-loue ma chambre pour six mois?

Rationnelle et compréhensive comme toujours, elle m'a dit qu'elle était prête à se trouver une coloc temporaire pendant mon absence. Je n'avais toujours pas de dettes, ni de voiture, ni d'hypothèque. Il ne me restait plus qu'à voir avec mes meilleurs clients s'il ne serait pas possible de traduire à distance. Je continuais d'aimer l'aventure. Côté cœur, j'étais rendue à un point dans ma vie où j'avais besoin de vrai. Fini les *shows* de boucane, les feux d'artifice qui ne font que prétendre d'émerveiller, alors qu'ils s'éteignent d'un trait et finissent tous par s'envoler en fumée.

Chaque soir, je priais ma mère de me donner la patience de laisser le temps aux étoiles de s'aligner parfaitement. Puis, à quelques semaines de la date limite que Grace m'avait donnée pour lui répondre, Steph m'a annoncé que sa cousine venait de laisser son chum et qu'elle se cherchait un endroit où rester avant de s'acheter autre chose. Violaine m'a dit que ça lui ferait plaisir de m'envoyer des piges de pub de poulet pendant que je serais partie, pourvu que je lui réponde dans les temps canadiens. Vu le coût de la vie à Zanzibar, ça me ferait même de quoi me ramasser pas mal de sous pour mon retour. Je n'avais plus aucune raison valable de ne pas retourner en Tanzanie.

J'ai confirmé ma présence à Grace, deux semaines avant mon départ. L'ONG m'a réservé un billet quelques jours plus tard. Même si je ne retournais pas à Moshi, j'ai tout de même pris la peine de faire savoir à Jay que je serais à Zanzibar dans dix jours, et ce, pour les six prochains mois. Ayant été assez distante avec lui depuis mon retour, je m'attendais à un peu plus d'enthousiasme de sa part. À mon courriel lui annonçant la bonne nouvelle de mon retour en sol tanzanien, Jay a répondu par un coup de théâtre digne d'une tragédie grecque.

Hey Elsie!
Content que tu reviennes au pays si rapidement. C'est cool Zanzibar, tu vas voir. Ici, tout va bien, le programme de prévention et de dépistage suit son cours. Nous allons même ouvrir une autre branche de notre organisme à Arusha, afin de rejoindre encore plus de gens. Sinon, il fallait que je te dise, mon ex a repris contact avec moi au printemps. Nous nous sommes écrit régulièrement depuis. Elle est ici avec moi présentement. Nous donnons une deuxième chance à notre couple, pour voir ce que la Tanzanie peut apporter à notre relation. Ça ne change rien à ce que je t'ai écrit. Tu garderas toujours une place bien spéciale dans mon cœur, mais je lui devais bien ça, de réessayer, de ne pas baisser les bras complètement. Et pour le moment, tout roule. Je te souhaite sincèrement autant d'amour, tu le mérites tant. Kwa heri, Jay.

J'ai fixé le vide pendant un bon cinq minutes. Je me suis couchée la tête en bas et les jambes contre le mur sur le divan en « L » pour voir si ça ne m'aiderait pas à mieux digérer tout ça. Puis, j'ai remercié le ciel, ma mère et mon intuition de m'avoir fait douter de lui, de ses grandes paroles et de la fille sur son profil Facebook, malgré le fait que Steph, sa nouvelle flamme et les filles croyaient en Jay plus que moi. Pendant que j'étais encore en Tanzanie, il avait repris contact avec son ex. Quand il m'a écrit et me demandait pourquoi je mettais autant de temps à lui répondre, son ex était déjà en Tanzanie. Alors que je mettais les morceaux du casse-tête en place, je réalisais que pour une fois, je ne m'étais pas complètement fait prendre au piège. Ce n'était qu'une autre anecdote farfelue à ajouter à mon lourd passé amoureux, qui était devenu obèse avec le temps. Perte de repères, prise 4.

En fin de journée, Steph est rentrée avec Philippe. Je leur ai fait lire le courriel.

— Bon, venez voir ce que Jay m'a répondu quand je lui ai écrit que je revenais en Tanzanie.

— Quoi? J'en reviens pas, m'a dit Philippe, qui me connaissait à peine.

— Ça, c'est rien. Ça me surprend même plus ce genre d'affaires là.

— Il faut dire qu'Elsie en a vu d'autres, mettons. Mais, il est cave pareil. Pourquoi t'écrire cette lettre-là, alors que son ex était déjà dans le décor? a ajouté Steph.

— Regarde, j'ai même plus envie de dépenser de l'énergie à essayer de comprendre. Je me dis juste que mon intuition était bonne. C'est déjà un exploit pour moi.

— Là, laisse faire la gent masculine à Zanzibar, OK? Mise sur des cours de swahili, de couture, n'importe quoi pour te tenir loin de ça pendant ton séjour. Me semble que tu mérites un *break*, m'a ordonné Steph.

Philippe est resté là, bouche bée. Je lui ferais un récapitulatif un jour, s'il restait sage avec Steph.

Je ne me sentais même plus cynique par rapport à Jay, j'étais réaliste. Comment m'étais-je habituée à ce genre de scénario? N'était-il pas grand temps pour moi de changer de rôle, d'ajouter de la dignité à mon jeu? Il fallait que je passe à l'action avec un peu plus d'estime de moi, que je prenne ma place, que je dise ce que je pensais, ce que j'aimais ou n'aimais pas du tout. J'étais pourtant bien capable de faire tout ça ailleurs dans ma vie, sauf avec les hommes. Ça devait encore être la faute de mon père. Veux, veux pas, quand ton père a sacré son camp alors que tu étais encore gamine, ce n'est pas le meilleur passé pour faire confiance aux hommes.

Mine de rien, cette réflexion m'amenait à penser que je venais peut-être de mettre le doigt sur la recette miracle pour trouver la personne parfaite pour moi. Une énigme qui m'apparaissait si complexe, si insondable il y avait de cela quelques années seulement.

Quand j'ai raconté cette histoire-là à Patrice, il était aussi bouche bée que Philippe. Je commençais à être trop habituée. Il pensait que Jay avait probablement eu peur de ne pas être à la hauteur.

— À la hauteur de quoi? Je suis pas une sainte.

— Non, mais tu es toute une femme par contre. Tu es libre. Tu fais ce que tu veux quand tu veux. C'est pas facile pour un homme de se sentir aussi peu important dans ta vie.

— C'est quoi le rapport? Je peux ben faire ce que je veux dans la vie et aimer quelqu'un en même temps. J'ai déjà vu pire côté multitâche.

— Tu es indépendante. Tu as pas besoin d'un homme dans ta vie. Et certains hommes sont pas à l'aise avec ça. Ils doivent se sentir utiles. Tu sais, le rôle du mâle dominant?

— Ouin… mais on est plus en 1940. Faut bien évoluer à un moment donné. C'est quoi cette réticence au changement?

Comme ça, il valait mieux être ordinaire, dépendante, mais pas trop, et légèrement troublée, juste assez pour que le mâle dominant se sente à sa place. Le pauvre. Quoi qu'il en soit, je n'en avais rien à foutre d'être ordinaire. Tant pis.

Chapitre 9 : Nassor
Où ça? : Tanzanie (encore)
Pourquoi déjà? : Il fallait que j'y retourne

Je suis repartie en Tanzanie en novembre. Ce mois gris et impertinent, où il fait trop froid pour se déplacer à vélo, mais où il n'y a pas encore de neige pour faire quoi que ce soit de sa vie. L'horreur. De retour à bord de KLM, je suis toujours aussi réjouie par leur courtoisie et leurs avions nommés dignement. Cette fois-ci, mon avion se nomme Mount Kilimandjaro, tiens!

La routine ne change pas : écouteurs, shooter d'eau, amandes fumées, lingette, repas en compartiments et crème glacée napolitaine. Le couscous israélien remplace tout de même la salade de pâtes et la mousse au fruit de la passion détrône le gâteau aux canneberges. Et je n'ai pas trois sièges pour moi toute seule. Passons sur le sommeil sans substance en vente libre.

Je fais une escale de 45 minutes à JRO, je prends une bouffée d'air qui sent le charbon de bois qui brûle et je poursuis ma route vers Dar es Salaam. J'arrive tard à DAR. Je sors de l'avion, je prends une autre bouffée d'air, mais celle-ci sent plutôt la pollution. Dommage. Je prends le taxi jusqu'à l'hôtel. J'allume mon téléphone tanzanien et j'envoie un texto à Grace pour lui dire que je suis là. Épuisée, de retour sous la moustiquaire aux effluves chimiques, je m'endors sans mélatonine. Le muezzin me réveille à 5 h. Je garde les yeux fermés, mais j'ai le sourire aux lèvres. Je suis de retour.

Le lendemain, Grace me rejoint et nous prenons le premier traversier pour Stone Town. Nous mettons trois heures pour rejoindre la capitale de l'île aux épices.

Sur place, je suis déjà émerveillée par l'architecture de la ville, ses grandes portes massives qui rappellent celles d'un coffre-fort digne d'un conte des Mille et une nuits. Les femmes sont pratiquement toutes voilées, plusieurs portent même le niqab. La grâce qu'elles dégagent lorsqu'elles se déplacent ensemble! Les hommes portent le *kufi*, ce petit chapeau musulman, et d'autres sont en djellaba, une longue tunique qui me fait toujours penser à un pyjama de grand-mère. On se croirait au Moyen-Orient, mais tout se passe en swahili et les shillings demeurent monnaie courante. Le sourire revient se poser sur mes lèvres. Nous nous rendons aussitôt un peu à l'écart de la ville, à une maison déserte qui sera le centre des femmes d'ici un mois. Je dépose mes sacs, et prends le thé avec Grace et Fatima, la future responsable du centre. Grace commence à me connaître et sait qu'après le thé j'aurai envie d'explorer Stone Town, seule. Elle sourit.

— OK, tu peux y aller. Mais reviens avant la noirceur.

— *Ndiyo*, mama Grace!

La petite ville est gorgée d'histoire, surtout du fait qu'à l'époque, des milliers d'esclaves y passaient avant de se rendre vers l'Oman, le pays qui occupait l'île alors. Les rues et ruelles sont sinueuses et s'entre-coupent. Ça me fait penser à David Bowie dans *Labyrinthe*. J'essaie de prendre des chemins différents pour voir le plus de la ville possible avant que le crépuscule m'ordonne de rentrer, mais je me retrouve toujours au même endroit. Voilà que je ne sais plus du tout où je suis, un Zanzibari le remarque aussitôt, se moque gentiment de moi et me raccompagne vers le centre.

— *Umepotea?* Tu es perdue? me dit ce jeune homme au teint légè-rement plus pâle que les hommes de Moshi. *Unaenda wapi?* Où vas-tu?

— J'essaie de retourner où je reste, près du marché.

— Je vais t'amener. Je m'appelle Nassor, *wewe*?

— Elsie.

En zigzaguant sur le retour, je ne comprends pas comment Nassor fait pour s'y retrouver. Je ne reconnais aucune des rues par lesquelles il passe. Et comme par magie, nous ressortons du labyrinthe exactement où j'y suis entrée.

— *Haya*, Elsie, *tutaonana*. À la prochaine!

— Bye, euh, je veux dire, *kwa heri*!

De jour en jour, je crée ma propre routine à Zanzibar. Mes journées commencent tôt. Dès 7 h, je prépare du thé aux épices pour Grace et Fatima. Fini le Africafé. Je les laisse ajouter du sucre à leur guise. Si je les laissais faire, je me retrouverais avec un sirop à saveur de thé. Même ma dent sucrée n'est pas rendue là. Ensuite, elles rencontrent des organismes connexes et des hôpitaux pour les informer que nous serons prêts à accueillir une dizaine de femmes dans le besoin d'ici la fin du mois. De mon côté, je prépare mes cours, histoire d'adapter tout ça à la réalité de l'île. Pas que les femmes soient complètement épanouies sur le continent en général, mais ici, elles sont encore plus réservées et sortent beaucoup moins dans les rues que les hommes. Mis à part celles qui ont un commerce. Les femmes d'origine indienne, par exemple, semblent très bien s'en tirer avec leur boutique de tissus, de films piratés et d'alcool caché dans le fond du réfrigérateur.

Bien que Zanzibar soit une station balnéaire de choix, certains hôtels de Stone Town ne servent même pas d'alcool aux vacanciers. Religion musulmane oblige. C'est pourquoi je me suis rapidement liée d'amitié avec les Indiennes marchandes d'alcool pour m'approvisionner en rafraî-chissements, que j'aime bien boire au coucher de soleil, sur la plage.

À la tombée du jour, devant la House of Wonders (l'ancien palais de la reine Fatuma, aujourd'hui transfiguré en musée d'histoire), le marché Forodhani s'anime. On y sert tous les plats de poissons et de fruits de mer typiques d'ici : brochettes de tout, soupe à la pieuvre, et les succulentes Zanzibar pizzas. Comme une brick tunisienne, c'est une pâte mince dans laquelle on laisse les fruits de mer de côté pour mettre de la viande hachée, des légumes et du fromage La vache qui rit. On craque un œuf sur le dessus, on referme le tout et on le grille dans beaucoup trop d'huile. Dé-li-cieux. En rentrant à la maison, je prends toujours quelques pains plats pour le lendemain matin. Je vais chaque fois au même kiosque dans la ruelle pour me rendre à la grande mosquée. Le vendeur m'attend même quelques fois avant de fermer boutique. Je prends un thé au gingembre avec lui, il m'enseigne quelques mots de swahili et je rentre.

Je recroise Nassor de temps à autre, chaque fois que je passe par le Jaw's Corner en fait. Le genre d'endroit où on se retrouve tout le temps dans un labyrinthe, celui qui unit cinq ruelles et où les hommes prennent le café fort et le thé bien épicé. Le café est préparé à la turque dans un récipient ressemblant à une grande théière en métal, sous laquelle une plaque contenant des charbons de bois ardents garde le café bien au chaud. Le thé est parfumé avec les épices de l'île : cannelle, muscade, girofle et gingembre. Vive l'influence arabe! Pour l'équivalent de cinq sous la tasse de la taille d'un shooter, j'en prends souvent plusieurs avec Nassor. Il me parle de l'histoire complexe de son pays, son île. Comme au Québec, mais en grande majorité ici, les Zanzibaris conservent un désir profond de souveraineté. Parce que leur industrie touristique est forte et qu'ils ont beaucoup de ressources, l'île remet une bonne partie de son PIB au continent, alors que les insulaires disent ne pas bénéficier des mêmes services que les autres Tanzaniens. Il me semble que j'ai déjà vu ces insatisfactions quelque part.

J'apprécie vraiment toutes les heures passées avec Nassor à discuter de politique et de différences culturelles. Pour quelqu'un qui n'est pratiquement jamais sorti de son île, à part quelques visites à Dar es Salaam pour voir sa sœur, il est extrêmement cultivé. Il dit que ce sont les vieux qui lui apprennent tout. Il faut préciser qu'il lit beaucoup aussi. Il pourrait faire ce qui lui plaît s'il était né ailleurs, où l'éducation est tellement plus accessible qu'on ne le pense. C'est moi ou il est vraiment réservé? Malgré nos fréquentes séries de shooters caféinés, je ne vois pas l'ombre d'un flirt de sa part.

Autant j'ai été découragée dans le passé par l'absence totale de tentatives de séduction chez les Québécois, ou leur fuite devant mes charmes, autant j'apprécie cette dynamique entre Nassor et moi. Je sais qu'il m'aime bien, mais je ne ressens pas le besoin qu'il pose de geste concret pour me prouver qu'il est sincère. Je ne sens pas qu'il s'attend à quoi que ce soit non plus. Est-ce possible de garder ça là, sans qu'une main baladeuse s'en mêle?

Les premières femmes arrivent au centre demain. Il n'est déjà pas facile d'admettre être en détresse ou de reconnaître qu'une mésaventure conjugale nuit à notre vie et à celle de notre progéniture, il faut en plus avoir le courage d'aller chercher de l'aide. C'est certainement encore plus difficile pour des femmes qui sont bien loin d'être passées par le même mouvement féministe que nous, au Québec. Rien à voir. La religion, l'histoire du pays, la culture, tout y est pour freiner la réalisation de soi. Et disons que les livres pour les gens qui se cherchent ne sont pas des bestsellers dans les librairies ici. Malgré ces obstacles, l'emprise familiale et le commérage des voisins, les plus courageuses se rendent jusqu'au centre. Elles brisent la glace pour les plus timides qui finiront par trouver leur chemin derrière elles. Les liens entre ces femmes et moi sont encore plus difficiles à tisser qu'à Moshi, mais je suis patiente. Infidèle à mes habitudes. Comme si le pays était fait pour ne pas être efficace, il ne me reste plus qu'à patienter. Au Canada, tout est réglé au quart de tour pour optimiser l'efficacité de chacun de nos gestes, de nos déplacements. Là-bas, c'est normal de soupirer quand ça n'avance pas assez vite. Ici, c'est tout le contraire. Et c'est certainement ce qui explique en bonne partie pourquoi je m'y sens aussi en paix.

De retour aux mêmes fonctions que j'avais à Moshi, j'aime la routine de ma vie insulaire. Je prépare toujours le thé épicé et légèrement sucré. Certaines femmes cuisinent parfois de petites collations maison pour la pause matinale : beignets à la farine de riz, *mandazi* plus épicés qu'à Moshi... Je commence vraiment à prendre goût à toute cette friture pour déjeuner. Elles s'empressent de tout me faire goûter et quand j'aime ça, c'est-à-dire tout le temps, elles sourient, s'exclament un peu plus fort qu'à l'habitude. J'ai l'impression qu'on se rapproche un peu. Ce que le simple fait de prendre le thé peut faire pour rassembler les gens. Ma mère me l'a si souvent rappelé. Même si je n'ai toujours pas l'équivalent d'Irene ici, la distance s'estompe de plus en plus entre les femmes et moi, malgré le fait que je suis encore bien loin de maîtriser le swahili pour converser sans en perdre de longs bouts.

La semaine prochaine, c'est déjà Noël. Grace rentre une semaine à Moshi pour célébrer avec sa famille. Je préfère rester ici. Le soir de Noël, tous les restos sont ouverts, parce que les Zanzibaris se fichent bien de cette fête. J'invite Nassor à souper dans un des meilleurs restos indiens de Stone Town, une recommandation de l'Indienne qui me vend de la bière. Je dois avouer que j'essaie de faire ma fraîche et de ne pas me laisser intimider par le nombre de piments dessinés à côté de mon plat dans le menu. Si mes papilles gèrent la boule de pâte de curry de la grosseur d'un pois que j'ajoute à mes plats en sauce au lait de coco, je devrais tout aussi bien tolérer ce curry-ci. Dès les premières bouchées, mes papilles sont brûlées au troisième degré, je sue du front et je ne goûte plus rien. Je bois de l'eau, c'est pire. Je mange du riz, du pain naan, ça ne change rien. Je finis par supplier la serveuse de m'apporter un bol de yogourt pendant que Nassor est aux toilettes. Il revient pendant que je dévore la chose.

— Haha! C'est toujours trop épicé pour un *mzungu* (blanc ou touriste... les gringos tanzaniens, finalement).

— Penses-tu que je peux leur demander de m'amener tout le yogourt qu'ils ont?

Après avoir expliqué à Nassor ce qu'est Noël, comme je l'avais fait avec John le Turc, je me rends compte qu'il m'en manque des bouts. Pourquoi c'est le 25 décembre déjà? Et c'est quoi le lien entre la supposée naissance du petit Jésus et le niveau de stress élevé à l'idée d'acheter tout plein de cossins? Et puis, pourquoi c'est si épouvantable de penser que Marie aurait fait l'amour pour donner la vie à Jésus? Je n'en sais rien. Il faudrait peut-être demander ça au gars des vues.

Nous continuons notre discussion à propos des failles de la religion sur la plage en face du marché Forodhani. Les vagues sont douces à Zanzibar. Rien à voir avec le Costa Rica. Malgré toute sa douceur, Nassor n'a manifestement pas le gène de charme des Portugais. Il demeure aussi réservé qu'au beau milieu de la place publique. Il me fait perdre mes repères autrement, celui-là. Comment se fait-il qu'il n'essaie pas de beurrer épais, de sortir ses grands violons pour me faire craquer dans ce décor enchanteur? Il ne fait rien de tout ça. Noël passe tranquillement, je rentre chez moi aux petites heures, seule. Et c'est très bien comme ça. C'en est même apaisant.

Je profite du reste de la semaine pour être seule chez moi et lire. Grace a amené des livres du centre de Moshi pour commencer une bibliothèque d'échange ici aussi. Je prends ce temps libre pour passer à travers *Three Cups of Tea*, *A Thousand Splendid Suns* et *The Places in Between*. Trois livres en une semaine. Trois livres qui se passent dans le même coin du monde, entre le Pakistan et l'Afghanistan. Trois livres sur les perceptions qu'on se fait souvent des gens, d'un peuple en entier, avant même d'avoir mis les pieds chez eux.

La semaine de lecture passe et nous voilà rendus à la veille du jour de l'An. Et à Zanzibar, les soirs de pleine lune, c'est comme à Koh Phangan en Thaïlande, c'est le *full moon party*. Je n'y suis pas encore allée. Et pour le 31 décembre, même si la lune n'est pas pleine, la fête organisée dans les hôtels du nord-ouest de l'île sera du même genre : DJ, alcools et substances illicites. Mettre Allah sur la glace le temps d'une soirée. Nassor propose quand même de m'y accompagner en *daladala*. Contrairement à ceux de Moshi, les *daladalas* de Zanzibar sont plutôt de grands pick-up avec des bancs de bois et un toit de tôle, afin de rendre la route un tantinet plus confortable et plus sécuritaire que debout dans la boîte du camion.

Nous arrivons à Kendwa, et la musique résonne déjà d'un bout à l'autre de la plage. Le monde est beau, mais surtout blanc. Comme une adolescente sans le sou, je me commande un Bitter Lemon, une boisson gazeuse qui semble être un mélange de limonade et d'eau tonique, dans lequel j'ajoute le fameux Konyagi (gin tanzanien) vendu en sachets. Plus facile à transporter qu'une bouteille de vitre, ça m'épargnera bien quelques billets de 10 000 shillings (environ 8 $) jusqu'à l'aube. Je prends un premier verre avec Nassor, tranquille, sur une de ces chaises longues dont un tissage de cordes remplace le tissu ou les lattes de bois. Tout à fait inconfortable. Mais la nuit est claire, le vent est doux et Nassor me parle de son plus grand rêve : étudier.

— Tu sais à quel point tu es chanceuse d'être née dans un pays comme le Canada?

— Oh! Crois-moi, depuis la première fois que j'ai mis les pieds ici, j'ai jamais été aussi reconnaissante. Mais tu as raison, trop de gens réalisent même pas la chance qu'ils ont, le privilège d'avoir le choix.

— Mon autre sœur est en Norvège. J'espère vraiment réussir à avoir un visa pour aller lui rendre visite. Juste ça, pour nous, c'est tellement plus compliqué.

— Je sais. C'est injuste. Comme si tu avais pas envie de voir le monde autant que moi.

Puis nous fixons le ciel, comme si les étoiles nous permettaient de réfléchir plus profondément. Et le volume de la musique monte d'un cran. J'aperçois une bande de gamins d'environ dix ans se dandiner sur la plage près de nous. Je souris. Je pense à ma mère qui serait certainement allée les rejoindre. En son honneur, je me lève et je vais danser avec eux. Ne sachant pas trop s'ils doivent rire ou pleurer en me voyant danser, ils finissent par me faire une place dans leur cercle. Il faut croire qu'ils n'ont pas le gène réservé comme Nassor, ceux-là. Lui qui reste sur la chaise inconfortable, rit un peu de nous et sirote depuis tantôt son Fanta à l'ananas sans alcool. Deux heures plus tard, je vais le rejoindre le temps d'une pause. Je ne crois pas avoir eu autant de plaisir de toute ma vie. Ils sont trop bien ces enfants-là. Même Violaine triperait.

Je vais nous ravitailler en boissons gazeuses au bar de l'hôtel. Dans la file sous la hutte, les *wazungus* (une gang de blancs) commencent à être de plus en plus soûls. Ils boivent directement dans leur bouteille de Konyagi et parlent si fort que ça fait compétition aux amplificateurs géants. Ce n'est pas la classe.

Quelqu'un me tape sur l'épaule.

— Hey, Elsie! Wow! Je suis tellement content de te voir!

Misère.

— Ah. Jay, salut. Ça va?

— Bien, ça va bien. Et toi, ça va? Tu es venue avec qui?

— Avec mon ami Nassor, là-bas.

— Ah! OK. Laisse-moi te présenter ma copine, elle va revenir dans une minute.

— Bof, ça va. Je l'ai assez vue sur Facebook. En tout cas, bonne année. Bye.

— Elsie…

Et je me fonds rapidement dans la foule pour retrouver Nassor sous les étoiles. Pour m'assurer que Jay ne nous retrouve pas, une marche vers l'autre bout de la plage s'impose, et ce, jusqu'à ce que la musique s'assourdisse presque complètement. À l'abri des regards, Nassor me prend la main pour me faire tourner, puis m'embrasse maladroitement.

— Attends! Pourquoi? Et pourquoi maintenant?

— Parce que j'ai eu envie de t'embrasser depuis le premier jour que je t'ai vue et parce que je pourrais jamais faire ça à Stone Town. Même ici, les gens parlent. Je connais pratiquement tout le monde sur cette île.

— Tu es tellement une belle personne. Mais je pense pas que ça devrait aller plus loin. Je vais partir de Zanzibar dans quelques mois et je veux pas que ce soit déchirant.

Je joue la carte du gars qui ne risque rien, celui qui n'a pas envie d'avoir à gérer des émotions plus tard.

— Je m'en fous de tout ça. Je ne pouvais juste plus résister.

Et moi qui étais certaine qu'il n'avait tout simplement pas le gène du charme.

— Tu es *cute*, mais je pense quand même qu'on devrait pas aller plus loin.

Nous pouvons entendre au loin le décompte pour la nouvelle année : 5, 4, 3, 2, 1 *heri ya mwaka mpya!* Au lieu de créer un malaise, Nassor me serre dans ses bras et me chuchote la phrase la plus quétaine au monde : merci d'être toi.

Mon cœur balance entre le malaise résonnant de la phrase qu'il vient de me dire et l'envie de pleurer parce que je fais encore face à une scène que je connais par cœur. Je ferme les yeux, une larme coule sur ma joue droite. Je dois demeurer rationnelle devant ses paroles. Comme si je savais que ça allait inévitablement tourner au vinaigre! Et pourquoi tous les hommes que je rencontre depuis Guillaume me prononcent-ils la même réplique, mais avec un accent différent? Pendant que toutes ces pensées défilent dans ma tête, Nassor est là, il ne dit pas un mot et me regarde patiemment. Je cesse de fixer le vide et lui jette un coup d'œil.

— Je suis vraiment désolée. Tu es vraiment quelqu'un de bien. Mais je pense que j'ai trop eu d'histoires impossibles. J'ai tout simplement pas envie de me rembarquer là-dedans.

— C'est correct. Tu veux retourner à Stone Town?

— Non, pas tout de suite. On dort sur la plage?

— OK.

Sur nos *kangas* (tissu tanzanien) respectifs, nous sommes là, couchés à la belle étoile. Les gens font toujours autant la fête. Certains vont se baigner et sortent de l'eau les pieds en sang parce qu'ils sont trop soûls pour se rendre compte que la marée est basse et que les rochers sont coupants. D'autres vomissent dans les buissons derrière nous. Ça me rappelle le Nouvel An en Argentine. Toujours pas de classe. Je finis par m'assoupir, malgré les bruyants fêtards. Lorsque la nuit tombe et que le vent se lève un peu, il fait plus frais. Je me mets en boule pour garder le plus de chaleur possible. Nassor me serre contre lui, évidemment. Entre l'arbre et l'écorce, je finis par pencher pour l'écorce et le laisse m'envelopper pour la nuit.

À l'aube, nous sommes encore collés l'un contre l'autre. J'ouvre l'œil tranquillement. Le soleil se lève derrière nous. Je me lève aussi pour admirer les pêcheurs avec leur bateau à grande voile blanche qui partent en mer. Parce que pour eux, le 1er janvier n'est jamais un jour férié. Ils défilent les uns à la suite des autres sous mes yeux, tel un défilé particulièrement gracieux. Je les regarde, émerveillée, pendant au moins une heure avant que Nassor se réveille. Tout doucement, il me flatte le dos pour me faire signe qu'il ne dort plus lui non plus. Je le regarde, il me sourit gentiment, aussi doucement que ses caresses, que les vagues de Zanzibar. Il est beau. Alors que je soupire à l'idée que ces pêcheurs doivent travailler si fort pour finir avec presque rien en fin de compte, il se lève et me corrige aussitôt. Il me raconte que les pêcheurs gagnent plutôt bien leur vie ici, beaucoup mieux que les agriculteurs, par exemple. Cette mauvaise habitude de parler sans connaissance de cause, de s'imaginer trop souvent le pire.

Une heure plus tard, je suis affamée et j'ai grandement besoin d'une série de cafés du Jaw's Corner. Nous sortons des buissons et Nassor redevient réservé, presque distant, afin d'esquiver les regards suspicieux. Éviter le commérage, tel est le but ultime de Nassor. Je joue le rôle. D'une certaine façon, ça m'arrange. C'est plus facile ainsi de ne pas tomber dans le piège des amours de voyage encore une fois.

Grace revient demain et les cours reprennent le jour suivant. Retour à ma routine zanzibari : cours le jour, thé et goûter avec les femmes en matinée, soupe à la pieuvre en soirée et jasette avec le boulanger des pains plats en fin de soirée. Je me garde quand même un peu de temps libre pour faire les contrats que mes clients m'envoient. J'ai parfois un peu de mal à envoyer mes documents à temps, mais je l'attribue à la lenteur d'Internet ou à l'électricité intermittente. C'est l'Afrique. J'imagine le genre de raison que les élèves d'ici peuvent donner à leur professeur pour ne pas avoir complété leurs devoirs : je marchais pour me rendre à la maison, il s'est mis à pleuvoir, j'ai glissé dans la boue, mon sac s'est brisé lors de ma chute et mon devoir est parti dans le courant du ruisseau formé par les pluies diluviennes. Ici, c'est totalement plausible. J'essaie tout de même de ne pas abuser de l'impatience occidentale.

Je continue de voir Nassor en ami au Jaw's Corner quelques fois par semaine, comme ça, quand ça adonne. Et un jour de février, il m'apprend la bonne nouvelle que sa sœur en Norvège commence les démarches pour qu'il puisse venir la visiter cette année. Il est heureux comme un enfant le jour de Noël. Disons, le jour de la fin du ramadan. Trop contente pour lui, je lui offre de sortir célébrer le tout à l'extérieur de la ville ce weekend. Nous nous rendons à Matemwe, du côté est de l'île. Nous allons passer la fin de semaine dans la maison d'un de ses amis qui travaille désormais à Dar. Il connaît vraiment presque tout le monde sur l'île!

À l'écart des quelques complexes hôteliers du coin, c'est absolument paisible. Seuls à nouveau tous les deux, ses yeux redeviennent doux et ses gestes affectueux. Je crains encore le *pattern*. J'ai peur d'y retomber tête première. En même temps, je m'accroche à mes arguments de toxicomane. Je ne vais tout de même pas passer à côté du moment présent à cause de ma peur, même si elle est justifiée. Parce que ce n'est certainement pas la peur qui fait avancer l'humanité. Et si j'étais un peu moins rationnelle, moins cérébrale? Ça fait presque un an que je n'ai pas eu l'affection d'un homme. Il est le premier gars que j'embrasse depuis Jay, au printemps dernier. C'est normal de vouloir se laisser aller un peu après tant de temps de chasteté.

Et puis, ce n'est pas comme si je pouvais espérer qu'il vienne me rejoindre au Canada. Les douaniers ne le laisseraient probablement même pas quitter le pays. Avec la Norvège, c'est différent à cause de sa sœur. Et je n'ai certainement pas l'intention de me marier avec lui seulement pour faciliter la paperasse. Mon cœur écorché est étrangement bien protégé par la bureaucratie. Et je pense encore beaucoup trop, je nage à contre-courant du moment présent. Il n'y a pas de paperasse ni de mariage à l'horizon. Nous sommes simplement là, sur cette plage déserte de sable blanc, le vent souffle doucement sur l'océan Indien. C'est tout.

Je prends sa main à mon tour. Je l'embrasse lentement, pour lui faire savoir ce qui me plaît. Ma langue chatouille doucement la sienne, je lui en donne, mais pas trop. Je le sens s'exciter, puis il écarte le décolleté de mon chandail et sort un de mes seins de mon soutien-gorge. Maladroit encore une fois, je me demande soudainement s'il a déjà fait l'amour. Je veux bien croire que sa culture est hyper conservatrice et qu'il veut éviter à tout prix que les gens inventent des histoires à son sujet, mais il n'est quand même pas fait en bois. Comme si nos grands-parents avaient vraiment attendu de se marier avant de passer à l'acte.

C'est alors qu'il prend ma main et la glisse sous son pantalon. Il est déjà dur. Je le caresse avec mes années d'expérience, il ne se retient pas très longtemps et vient précocement. Merde.

— Tu as déjà fait l'amour?

Possiblement la réplique qui tue le plus un homme après des semblants de préliminaires.

— Oui, mais ça fait longtemps.

— OK, mais est-ce que tu te masturbes?

Il faut bien élucider le mystère.

Après la sieste, il voulait s'y remettre. Comme avec Julian, je dicte la région, la pression et la cadence à maintenir pour me faire atteindre l'orgasme. Dans un élan de pure passion, il vient à nouveau précocement, en moi. Merde!

— ATTENDS! Qu'est-ce que tu fais là? Tu as même pas mis de condom!

— Je suis désolé. J'ai pas pu m'en empêcher. J'étais trop excité de te voir jouir. J'ai rien, tu sais.

— Comment je peux être sûre de ça?

— Je me suis fait tester deux fois déjà.

— Quand ça? Pour le VIH seulement? Et pour le reste? Il y a un tas d'ITS qui montrent pas de symptômes, surtout chez l'homme.

— Oui, pour le VIH, le dernier date de trois mois. Je peux me refaire tester si tu veux, et pour le reste aussi.

Je garde mes distances pour le reste du weekend. Je prends mon espèce d'air bête. Il ne sait plus sur quel pied danser. Alors que tout était si paisible, presque sain avec Nassor, pourquoi faut-il encore que quelque chose ne tourne pas rond? Et s'il me ment sur toute la ligne, qu'il couche à gauche et à droite avec une bonne partie des *wazungus* de passage et qu'il a plein des bibittes? Je passe de merde à marde. C'est pire.

Je me sens sale, j'ai l'impression que ça me pique par là tout d'un coup. Ça y est, j'ai quelque chose. Je dois aller passer une batterie de tests au plus vite. Mais là, est-ce que les gens vont se mettre à jaser? Ils me voient de plus en plus souvent avec lui. Si je vais à l'hôpital pour un Pap test, ça va être louche, c'est clair. Et je ne suis pas certaine de faire confiance au secret professionnel sur une île où le passe-temps favori des gens est de commérer. Surtout que ça implique un Zanzibari et une blanche, je ne passerai assurément pas sous silence. Je peux toujours aller à Dar… Je vais aller à Dar en fin de semaine.

Quelques jours passent et honnêtement, ça ne me pique pas du tout. Je n'ai pas de symptômes apparents, réflexion de mon miroir à maquillage entre les deux jambes à l'appui. Mais si c'est une de ces ITS sans symptômes? Je préfère ne pas prendre de chance. Nassor m'envoie des textos tous les jours depuis l'incident. Il me dit qu'il a deux tests rapides pour dépister le VIH qu'une amie infirmière a acheté pour lui à l'hôpital où elle travaille. Il veut refaire le test devant moi. J'apprécie. À l'abri des regards, nous faisons le tout sur la plage. J'en fais un aussi, parce que je n'en ai jamais passé de ma vie, après tout. Et si c'était moi qui lui avais transmis quelque chose?

Tout est beau, pour le VIH seulement. Pour le reste au moins, ça se traite. Du moins, il me semble que le reste se traite. Finalement, je ne peux pas me rendre à Dar pour passer mon test avant trois semaines. Mes prochaines fins de semaine sont consacrées à des ateliers intensifs d'entrepreneuriat pour les femmes qui n'ont pas pu s'inscrire aux cours donnés en semaine. J'avais oublié ça. Je suis seule pour les animer. Je ne peux donc pas les annuler. Je n'ai toujours pas de symptômes, je finis donc par me calmer les nerfs.

Et puis, mes trois semaines chargées passent et j'arrête de m'en faire pour les ITS. Je n'ai toujours aucun symptôme. Je rentre au Canada dans deux mois, j'irai passer un Pap test à mon retour de toute façon. Ma vie reprend son cours normal à Zanzibar. Je continue de voir Nassor, surtout en ami, mais parfois la nuit aussi, où le condom est devenu notre chaperon.

Nous prenons toujours notre café de fin d'après-midi au Jaw's Corner, allons manger une soupe à la pieuvre au moins deux fois par semaine au Forodhani et passons nos soirées sur notre petit coin de plage, tranquilles, tous les deux. Nassor adore jouer dans mes cheveux de blanche, lisses et légèrement vagués par l'humidité. Il prend aussi beaucoup de plaisir à me caresser les seins, à y poser ses lèvres doucement, puis plus sauvagement. Pas que ce soit désagréable, jusqu'au jour où il y va un peu trop fort à mon goût. C'est le temps de ma chute libre hormonale cette semaine, ça doit être pour ça que je suis plus sensible. C'est vrai que je suis plus émotive ces jours-ci. Je sens justement un brin de tristesse monter en moi à l'idée de devoir partir de la Tanzanie encore une fois. Je sens que le reste de mon séjour va passer trop vite. Je devrai éventuellement prévenir Nassor que je ne pourrai pas rester pour lui, que je ne pourrai pas le faire venir au Canada, que notre relation n'est que ça, sans avenir.

Chaque jour, j'ajoute des arguments à ma liste pour que ce soit le moins blessant possible pour lui et que les choses soient claires avant mon départ. Aucune ambiguïté, cette fois-ci. Promis. Après une semaine à lister des arguments de taille un à la suite de l'autre, je me dis qu'il faudrait bien que je les partage avec la personne concernée. Je vois Nassor le lendemain soir. Je lui défile mon argumentaire telle une gamine qui a appris son exposé oral par cœur et qui ne s'arrête même pas pour respirer en cours de discours.

— Nassor, pour être honnête, autant j'apprécie chaque moment que je passe avec toi, autant je sais qu'il y a pas d'avenir possible entre nous deux.

Je parle avec ma tête.

Il est sincèrement triste.

— Elsie, ce que tu me dis me brise le cœur. J'ai jamais ressenti ça pour personne d'autre. C'est la première fois de ma vie que je suis prêt à tout faire pour être avec quelqu'un, avec toi.

Le discours de la marmotte, voilà ce que c'est.

J'aiguise ma raison depuis Julian. Ça n'arrivera pas pour vrai. Je ne ferai pas ma vie à Zanzibar. Il serait malheureux au Canada, sans la mer, où tout roule tout le temps à 100 milles à l'heure et que le stress est notre pain quotidien. C'est triste, mais c'est ça.

Quand je rentre chez moi ce soir-là, je me sens soulagée d'avoir mis les choses au clair, d'être demeurée réaliste. Je me couche l'âme en paix, je fixe le plafond pendant quelques minutes, je réalise que je me respecte. Un peu comme dans ma relation avec Julian, je sais mettre un terme à nous deux à temps, avant qu'on ne se fasse du mal. Comme avec Jay, je sais apprécier ses beaux mots, sans tomber dans le panneau. Puis, je me tourne sur le ventre, parce que je dors toujours sur le ventre. Ayoye! J'ai donc bien mal aux seins. Pourtant, je n'ai pas encore mes règles. Et je suis assez régulière d'habitude. Et Nassor et moi utilisons toujours des condoms. Sauf une fois à Matemwe. Un plus un. Voyons, je ne peux quand même pas être enceinte à cause d'une seule fois? Je ne peux pas être fertile à ce point-là? Il y a tellement d'histoires de femmes qui baisent sans cesse, au beau milieu de leur période d'ovulation, dans des positions aidant supposément la fertilité et qui attendent des années avant de tomber enceintes.

Et si je suis vraiment enceinte, qu'est-ce que je fais, sérieux?

Tout se met à tourner dans ma tête, j'ai les mains moites, l'angoisse me monte à la gorge, comme si un meurtrier m'accotait au mur avec ses sales mains autour de mon cou. Je vois ma vie de pigiste basculer dans un gouffre d'insécurité ingérable. Rien à voir avec le fait d'aller rejoindre quelqu'un que je connais à peine à l'autre bout du monde. À chacun ses angoisses, je sais.

J'inspire, j'expire. Je garde ma position de chien tête en bas pendant cinq longues respirations. Un peu d'oxygène et de raison me remontent finalement à la tête. C'est vrai que j'ai quand même un diplôme universitaire et que je gagne déjà bien ma vie. Ce n'est pas comme si j'allais manquer de boulot de sitôt. Mais ai-je vraiment envie d'avoir un enfant maintenant? Ai-je envie d'être mère monoparentale avant même qu'il voie le jour? Parce que je ne pourrais pas faire vivre Nassor et m'occuper de cet enfant-là en plus. Qu'est-ce que ma mère dirait? Elle m'a bien élevée seule, elle. Il faut dire que ma grand-mère l'a grandement aidée quand j'étais petite, le temps qu'elle se remette sur pied. Moi, je n'ai plus ce genre de soutien. Tout ce beau monde est déjà mort.

Au moment même où toutes ces questions se bousculent dans ma tête, je constate encore une fois tout le privilège que j'ai de pouvoir me demander si je le garde ou non. J'ai le choix. Si ça arrivait à une Zanzibari, soit elle se marierait par défaut avec le géniteur, soit elle élèverait son enfant toute seule, avec très peu de moyens, comme la plupart des femmes qui viennent nous voir au centre. Je me sens comme une enfant gâtée à vivre ce dilemme et trouver difficile de prendre la décision.

Au-delà de la culture, l'avortement est tout simplement illégal ici. Raison de plus pour me sentir mal. Sinon, il faut payer quelqu'un en dessous de la table pour se faire siphonner l'intérieur en silence, dans des conditions minables. Non seulement j'ai le choix, mais j'ai aussi le droit d'être traitée avec soin malgré ce geste funeste. Rien pour m'aider à me sentir moins gâtée.

Bon, il faudrait que j'arrête de m'imaginer le pire et que je commence par passer un test de grossesse. Mais est-ce que les gens vont parler s'ils me voient acheter un test à Stone Town? Ça les fera sûrement autant jaser qu'un Pap test. Même si nous sommes discrets, nous sommes vus assez souvent ensemble pour que les gens sautent aux conclusions rapidement. Pour mettre fin à mes scénarios de films d'horreur, je décide de me rendre à Dar le samedi matin suivant, pour acheter un test de grossesse là-bas. C'est un peu exagéré comme déplacement, six heures de traversier au total pour un fichu test de grossesse, mais je préfère le voyagement au jugement de gens que je côtoie tous les jours, et surtout de ceux que Nassor connaît depuis toujours.

Quand Nassor arrive au Jaw's Corner, je n'ai pas envie de prendre un ou plusieurs cafés. Je veux aller directement sur notre petit coin de plage, à l'abri des regards curieux et des oreilles tendues.

— Écoute, je dois te dire quelque chose.

— Oui?

— Je pense que je suis enceinte.

— Pourquoi?

— Je suis en retard dans mes règles et mes seins me font tellement mal que je peux même pas dormir sur le ventre.

— Mais on utilise toujours des condoms.

— Sauf cette fois-là, à Matemwe.

— C'est vrai. Mais tu penses vraiment que tu es tombée enceinte ce jour-là?

— Je suis pas sûre à 100 %, parce que j'ai pas encore passé de test de grossesse, mais je suis jamais en retard dans mes règles.

— OK, on verra alors.

— Je sais. Mais je sais pas ce que je ferais.

— C'est ton choix, Elsie. Tu as le choix. Si tu veux le garder, je serai là. Sinon, tu sais ce que tu as à faire. Tu as le droit de faire ce choix.

Pour lui, c'est aussi simple que ça. Si cet enfant-là voit le jour, il sera élevé dans de bien meilleures conditions que la plupart de ceux qui naissent ici. Sinon, je rentre chez moi et je me fais avorter. Il a raison, moi au moins, j'ai le droit d'avoir le choix. Méchant dilemme, par contre.

Je n'arrive plus à me concentrer au travail, au centre comme en traduction. Je pense juste à ça. Dans mes cours, j'ai toutes ces femmes devant moi, plusieurs très jeunes mères qui se débrouillent, qui font de leur mieux pour élever leurs enfants dignement. Elles sont si dévouées, si persévérantes, dans un monde mené par les hommes, dans un monde où elles ont rarement le choix. Chaque fois que je leur donne des exercices à faire et que c'est silencieux quelques minutes, je fixe le vide, je pars dans la lune et pèse le pour et le contre au cas où je serais enceinte. Heureusement, l'une d'entre elles me rappelle toujours à l'ordre, lorsque les cinq minutes allouées sont écoulées, et elle me fait revenir sur terre.

Je n'ose pas appeler Steph ou l'une des filles. Je ne veux pas les inquiéter alors que je ne sais même pas si je suis enceinte ou non. Puis, je pense à ma mère. Je n'aurai plus jamais droit à ses judicieux conseils.

La semaine finit par finir. Samedi matin, je pars à Dar es Salaam sur le premier traversier. Trois heures de houle plus tard, j'ai la nausée… À cause du bateau ou parce que je suis enceinte? J'arrive avec mon mal de cœur dans la jungle urbaine, polluée et irritante de Dar. Zanzibar me manque déjà. Je prends une chambre au YMCA à une vingtaine de minutes à pied du traversier. Il y a une pharmacie en face. Je m'y rends avant même de déposer mon sac dans ma chambre. J'achète trois tests, au cas où ce serait un faux positif ou pire, un faux négatif. Sur la boîte, il est indiqué d'attendre dix jours après la date possible de conception pour assurer des résultats plus justes. Ça doit bien faire un mois.

En traversant la rue pour revenir à ma chambre, je manque de me faire frapper tellement j'ai la tête ailleurs. Je n'ai jamais eu à faire un choix aussi difficile de toute ma vie. Mon questionnaire de choix de carrière au Cégep peut bien se rhabiller. Bien évidemment, chaque choix que l'on fait change le cours de notre vie à jamais. Et j'ai l'habitude de les assumer pleinement. Mais choisir de se faire avorter ou de garder un enfant implique non seulement choisir de changer son propre futur, mais aussi choisir d'interrompre le futur de quelqu'un d'autre. Je ne pense pas qu'il y ait pire que ça, pour vrai. Et si je regrette après, je fais quoi? Et mon karma dans tout ça? Moi qui ai arrêté de tuer les insectes errant dans mon appartement pour mettre toutes les chances de mon côté. Aussi bien dire que c'est un aller simple pour la classe des intouchables.

Dans la toilette turque de ma chambre, je suis inconfortablement accroupie et seule au monde avec mes trois bâtonnets. Mon cœur bat de plus en plus vite, j'ai encore la nausée. J'essaie de pisser droit sur mon bâtonnet. Les trois longues minutes requises pour donner le temps à la réaction de se produire ou non viennent de détrôner le temps d'attente pour Daniel à l'aéroport d'Indianapolis. Mais après une minute seulement, je vois une deuxième ligne bleue apparaître.

— C'est pas vrai.

Mon cœur bat encore plus fort, je le sens se coincer dans ma cage thoracique. J'ai chaud et il me semble que je suis étourdie tout d'un coup. Je prie le petit Jésus pour que ce soit un faux positif. En même temps, je me sens mal pour toutes ces femmes qui veulent tellement avoir des enfants, qui ont tellement espéré voir apparaître une deuxième petite ligne bleue. J'avale une bouteille d'eau, je pisse à nouveau sur le deuxième bâtonnet en essayant de ne pas m'en mettre sur les mains. Quel moment gracieux. J'attends encore avec la peur de voir apparaître une autre fichue ligne bleue. J'en tremble. Je prie ma mère de me donner la sagesse de prendre une décision éclairée, de penser à moi et à la vie de cette petite créature qui pousse fort possiblement au fond de moi. Deux minutes plus tard, bis, idem, répétition intégrale du premier bâtonnet. Je ferme les yeux, des larmes coulent sur mes joues rougies par l'angoisse. J'enroule mes bâtonnets dans du papier de toilette, plus besoin de faire un troisième test, et les jette dans la poubelle. C'est irréel. Si seulement je pouvais me réveiller de ce cauchemar. Je ne peux pas être enceinte. Pas ici. Pas avec lui. Je m'accote sur le mur de la toilette loin d'être nette. Je pleure et je reste là longtemps à détester le moment présent.

J'appelle enfin Nassor pour lui annoncer la nouvelle. Je suis sans mot. Puis, je ne lui laisse même pas l'occasion d'être instinctivement heureux avant de lui déverser mon tsunami de tourments, en bonne Nord-Américaine qui a l'embarras du choix. Dans la vie d'une personne normale, je serais supposée sauter de joie. Dans la mienne, je raccroche et je fixe encore le vide. Je me ronge les ongles, parce que je prétends que ça m'aide à penser. Si je réfléchis à ce point-là, est-ce un signe que ce n'est pas bon signe?

Il est 8 h du matin à Montréal. Steph doit être en train de se préparer pour aller travailler.

— Steph, c'est Elsie. As-tu un peu de temps pour parler?

Ça y est, j'ai déjà la voix qui tremble.

— Oui, oui, je viens de sortir de la douche. Qu'est-ce qu'il y a, tu as le trémolo de pogné dans la gorge?

— Je suis enceinte.

— QUOI? De qui? Comment ça? Tu as pas mis de condom? Je veux dire, comment tu prends ça, ma choupette?

— Nassor, tu sais, mon ami ici? Je t'en avais glissé un mot dans un de mes courriels.

— Justement, tu me disais qu'il était juste ton ami. Les choses ont changé depuis?

— Ouin... En bref, on s'est retrouvés les deux tout seuls dans une maison sur le bord de l'eau et j'ai eu la brillante idée de me laisser aller, de profiter du maudit moment présent. Ça fait qu'en plein milieu de nos ébats, quand j'ai atteint l'orgasme, il a pas pu s'empêcher de venir en moi.

— Comment ça il a pas pu s'empêcher?

— Je sais, c'est con. Je m'attendais pas à ce que ça aille aussi loin. Au départ, j'étais tellement rationnelle par rapport à lui, je voulais pas retomber dans mon *pattern*. J'avais même pas amené de condoms avec moi tellement je voulais pas que ça dérape. J'ai tellement sursauté quand je l'ai senti. J'ai perdu mon climax d'un coup.

— Qu'est-ce que tu vas faire? C'est pas illégal l'avortement là-bas?

— Complètement. Même si je sais rationnellement que je devrais pas le garder, c'est tellement difficile de prendre une décision dans un pays où c'est illégal, justement. Je suis entourée de femmes, plus jeunes et moins éduquées que moi, qui sont mères et qui finissent par s'en sortir. Et moi, je suis là à me demander si c'est vraiment le bon moment pour moi d'avoir un enfant, si je gagne assez d'argent pour l'élever toute seule, parce que de toute évidence, Nassor ne sera pas dans le décor.

— OK, mais là, Elsie, tu peux pas comparer ta vie à celle des femmes de Zanzibar. Si elles avaient le choix, tu penses pas qu'elles se feraient avorter une fois de temps en temps?

— Sûrement. En tout cas, il faut que j'y pense sérieusement et que je prenne une décision au plus vite. Techniquement, il me reste encore deux mois à faire ici.

— Oui, mais là, laisse Mère Teresa de côté un petit peu et pense à toi. Si tu dois partir plus tôt pour te faire avorter à temps, Grace va comprendre. Au pire, dis que ta grand-mère est morte, quelque chose.

— Ouin. Merci de m'avoir écoutée. Je te laisse aller travailler. Je vais méditer là-dessus.

Je raccroche, je me couche sur le dos et je fixe le vide à nouveau. Je suis enceinte de quatre semaines. Quel est le nombre limite de semaines pour se faire avorter au Canada? Neuf, dix semaines? Aucune idée. Il faudra sans doute que je parte plus tôt de toute façon pour être certaine de ne pas dépasser les normes légales canadiennes.

L'importance de mon travail au centre vient de prendre le bord. Je me sens gâtée et lâche. La joie. Je me répète la liste de pour et de contre. Il y a une partie de moi qui se dit que tout va s'arranger si je garde l'enfant. Je ne suis certainement pas la première ni la dernière à élever un enfant seule au Canada. Je n'ai qu'à prendre exemple sur ma mère. C'est vrai qu'elle s'est souvent privée dans sa vie sociale pour être là pour moi. Et malgré son seul revenu pour prendre soin de nous deux, je n'ai jamais senti que j'ai manqué de quoi que ce soit dans ma vie. Ce n'est peut-être pas l'idéal, mais en regardant les statistiques des couples de nos jours, rien ne prédit la famille unie de toute façon. Que me dirait ma mère? Elle aurait tellement la phrase miracle pour me faire prendre la bonne décision. Et si je suis enceinte, est-ce que c'est un signe que rien n'arrive pour rien?

Le lendemain, je rentre à Stone Town avec le premier traversier. Nassor m'attend à notre endroit habituel sur la plage. Il est attentionné et comprend parfaitement que la situation est différente pour moi que pour une femme d'ici. Il tient tout de même à préciser que si je décide de le garder, il serait un père ravi et il ferait tout pour s'assurer que nous ne manquions de rien. Nassor n'a que de bonnes intentions. Ça ne m'étonne vraiment pas de lui. Dans ma tête, le pour et le contre se font toujours la guerre. Évidemment, je ne veux pas passer ma vie ici, aussi paradisiaque que Zanzibar puisse être. Même si je les quitte souvent, j'ai besoin de mes amies et de Montréal pour être heureuse. C'est l'équilibre entre ces deux modes de vie qui m'apaise véritablement. Et s'il n'y avait pas de bon moment pour devenir maman? Et si je ne pouvais plus jamais avoir d'enfant après un avortement? Je m'en voudrais pour le restant de mes jours. Je suis sur le point de faire basculer ma vie, peu importe ma décision.

Deux semaines passent, je suis maintenant enceinte de six semaines. J'ai les seins immenses, dixit la fille qui porte habituellement du 34 AA. Ça déborde quasiment de ma brassière de gamine, et si je me croise les bras bien serrés, j'ai une craque! Féminité à part, le temps presse. Le contre finit par l'emporter de justesse sur le pour. Je n'ai plus le choix, je dois annoncer à Grace que je partirai plus tôt que prévu, grand-mère imaginaire décédée oblige. Je dois ensuite changer mon billet d'avion, convaincre Fatima qu'elle est déjà prête à gérer les cours toute seule et prendre rendez-vous dans une clinique d'avortement au plus vite.

Steph, toujours aussi serviable, se charge de ce dernier item sur ma liste. Elle me trouve un rendez-vous dans dix jours. C'est un peu rapide pour dire à Grace que je partirai un mois plus tôt. En même temps, je n'ai plus vraiment de marge de manœuvre pour un avortement légal. Mais est-ce qu'un avortement à la date limite risque davantage de m'empêcher d'avoir des enfants plus tard, quand ce sera le bon moment?

Ma décision est prise, je dois vivre avec, aussi pénible et déchirante soit-elle.

L'âme en peine, je quitte Zanzibar dans le mensonge. J'invente le décès de ma grand-mère, réellement décédée il y a dix ans déjà. Grace et toutes les femmes du centre sont sincèrement désolées. Elles m'organisent même une fête de départ, chapatis et cours de cuisine inclus. Elles me donnent toutes un petit quelque chose, malgré leurs très modestes moyens. Je suis tellement touchée par leur générosité que j'ai juste envie de pleurer. Je me ressaisis et je range mes émotions dans un coin. Pour les remercier de leur accueil chaleureux, je donne à chacune un petit quelque chose pour faciliter leur démarrage d'entreprise; des casseroles, quelques tissus, des semences, des outils de jardinage. C'est ma façon de les encourager, sans me mettre une enseigne de guichet automatique sur la tête. Ça y est, je pleure. Les Zanzibaris, dans toute leur timidité, versent quelques larmes aussi. Je me souviendrai de chacune d'entre elles toute ma vie.

Nassor me comprend mieux que je le croyais. Nul besoin de lui réciter la liste d'arguments que j'ai préparée pour mon départ. Il sait que je ne veux pas faire ma vie à Zanzibar, que ce n'était qu'une expérience de passage pour moi. Il me dit qu'il va prier pour moi, pour que tout se passe bien.

— Tu sais Elsie, tu es très importante pour moi. Tout ce que je souhaite, c'est que tu sois heureuse. Et je sais que ta vie au Canada et partout sur la planète est mieux pour toi. *Safari njema!* Bon voyage!

— Wow! Tu es vraiment spécial, toi. Tu es de loin la personne la plus honnête et respectueuse que j'aie jamais rencontrée. Je suis honorée de t'avoir dans ma vie. Je reviendrai à Zanzibar un jour. Ne t'en fais pas.

— *Karibu tena!* Tu es la bienvenue.

Il y a de ces hommes qui auraient pu être le père de notre premier enfant.

****

Mon vol arrivait la veille de mon avortement. Steph m'attendait à YUL, un ange gardien, comme d'habitude. Complètement déphasée par le décalage horaire, je suis tombée comme une bûche, une fois à l'appart. La cousine de Steph avait trouvé un nouveau condo et devait déménager la semaine suivante. J'allais enfin retrouver ma chambre, mon univers, même si j'en aurais nettement eu besoin dès mon arrivée. Le lendemain matin, mon réveil s'était fait en plein milieu de la nuit et j'en étais à mon troisième café quand Steph a fini par se lever. Elle avait même pris congé pour m'accompagner à la clinique.

Quand j'ai passé les portes, je me sentais comme dans le film *Kids*, comme si j'étais une adolescente irresponsable qui s'était encore mis les pieds dans les plats avec la coqueluche de l'école à la fin d'un party de sous-sol. J'étais visiblement la plus vieille dans la salle d'attente. La vieille qui n'avait pas appris de ses erreurs, des erreurs acceptables à 16 ans, quand on n'a que ça à faire, apprendre. Mais pas à mon âge, alors que je devais être mature et responsable.

Lorsque l'infirmière m'a appelée, elle avait un formulaire à remplir avec moi, pour ne pas dire un interrogatoire pour me faire repenser une millième fois à toutes les questions que je m'étais déjà posées depuis l'arrivée des maux de seins.

— Êtes-vous en bons termes avec vos parents?

— Ils sont morts.

— Je suis désolée. Avez-vous un emploi stable?

— Je suis traductrice à mon compte.

— Est-ce que le père est connu?

— Oui, mais il est en Tanzanie.

— Et pourquoi croyez-vous qu'il serait préférable de vous faire avorter?

— C'est une joke?

— Je veux simplement m'assurer que vous avez pris le temps de prendre la bonne décision.

— La bonne décision? Comment pouvez-vous déduire que c'est la bonne décision par un questionnaire générique? C'est certainement la bonne décision pour moi.

Les hormones de femme enceinte.

Elle a fermé mon dossier et m'a dit d'aller dans la salle d'attente au fond du couloir, le couloir de la mort. Steph m'a suivie et a attendu avec moi jusqu'à ce que le médecin m'appelle. Sur une table d'examen, vêtue d'une jaquette de papier bleue, les deux jambes dans les étriers, il ne me restait plus aucune dignité. La médecin m'a dit qu'elle devait tout de même me faire une échographie avant de procéder à l'opération.

— Vous êtes environ à neuf semaines. Vous voulez voir?

— Euh… Il me semble que c'est pas une bonne idée.

Dans ma tête, je me disais : ES-TU FOLLE? Comme si de prendre conscience du meurtre que je suis sur le point de commettre allait m'aider
dans le processus.

— Pouvez-vous me donner un calmant maintenant? J'aimerais vraiment oublier ce moment-là de ma vie.

Un homme en sarrau blanc est aussitôt arrivé, il m'a entouré le bras de
son élastique qui pince bien la peau, et il m'a bien montré sa grande
aiguille, sans dire un mot. Pendant une fraction de seconde, j'ai pensé
au fou dans la clinique souterraine de la télésérie *LOST*, quand ils endor-
ment Claire pour faire des tests sur elle alors qu'elle est enceinte.
Panique.

— Prenez une grande respiration, Mademoiselle.

Et puis, plus rien. Je me suis réveillée comme si je venais de faire une
sieste sur un lit inconfortable, dans un pyjama en papier. Steph m'attendait toujours. Elle était allée me chercher une soupe poulet et nouilles
dans un bol de styromousse à la pharmacie en face de la clinique.
L'infirmière l'avait laissée utiliser leur cuisine pour y mettre de l'eau
chaude. J'ai repris mes esprits et me suis réconfortée en mangeant ma
soupe trop salée. J'ai senti mes épaules retomber, mon angoisse se
dissiper enfin. Je n'avais presque pas mal au ventre. Je me sentais
simplement comme une grand-mère, avec l'espèce de matelas de
serviette hygiénique qu'ils m'avaient mis aux fesses, pendant que j'étais
encore sous sédation. Ça devait ressembler à ça de porter une couche
d'incontinence.

Pour revenir à l'appart, j'avais le goût de marcher. Steph insistait pour qu'on prenne un taxi, elle trouvait que j'ambitionnais. J'avais besoin de prendre de l'air, de me remettre de mes émotions. J'allais peut-être le regretter avec mon matelas entre les jambes, mais bon.

En rentrant, j'ai cru bon d'écrire à Nassor pour lui dire que tout avait bien été. J'ai aussi écrit à ma mère, parce qu'elle ne m'avait jamais autant manqué depuis qu'elle était partie.

> *Maman,*
>
> *M'aimes-tu encore? M'aimes-tu encore, même si j'ai infligé la mort? Penses-tu que la vie va me punir à jamais pour ça? À quel moment penses-tu qu'on devrait être reconnu coupable de tuer un innocent? À voir les militants pro-vie coin Saint-Laurent et Saint-Joseph, ça a l'air que je viens tout juste de me réserver une place en enfer. Toi qui avais toujours le mot juste, l'autre façon de voir les choses, le don de détendre l'atmosphère, qu'est-ce que tu pourrais bien me dire pour me faire sourire? Pour me rassurer que c'était vraiment le bon choix pour moi, pour cet enfant qui grandissait en moi? Sans toi, je ne le saurai jamais. Je m'en voudrai toujours un peu, je me demanderai à quoi il ressemblerait et penserai au bonheur inex- primable qu'il m'aurait sans doute apporté. Je ne le saurai jamais.*

J'ai pris ces mots et je les ai enfouis dans une petite boîte que j'allais enterrer près de sa tombe. J'espérerais chaque jour un signe pour me faire réaliser que c'était mieux comme ça. Je patienterais pour vrai.

Ce soir-là, j'ai eu besoin d'inviter les filles à souper à la maison. Je leur avais dit que je revenais plus tôt finalement, mais je ne leur avais pas encore dit pourquoi. J'ai préparé toutes les choses qui me manquaient depuis que j'étais partie : des sushis, du fromage, du bon vin. Ce n'était certainement pas le meilleur agencement de saveurs, mais c'était vrai- ment de tout ça que j'avais envie.

— Elsiiiiie! Là, ça fait vraiment trop longtemps, ma pinotte, m'a lancé Mélissa en me sautant dans les bras.

— Je sais. Tes cheveux sont donc ben rendus longs! Je ne partirai plus pour un bout, je crois, ai-je dit avec les yeux encore vitreux d'avoir écrit à ma mère une heure plus tôt.

— Hey, ma nouère, coudonc, as-tu des plus grosses boules? Es-tu enceinte? s'est exclamée Violaine à la vue de mon décolleté vraiment pas si plongeant que ça.

— Justement, j'étais enceinte jusqu'à ce matin.

— QUOI? Mais pourquoi tu nous as rien dit? m'a dit Amélie avec toute la compassion du monde.

— Je voulais pas vous inquiéter. Steph a tout arrangé pour que je me fasse avorter à temps.

Pendant mes cinq mois d'absence, Amélie avait surpris Renaud à entretenir des relations virtuelles avec les nunuches avec qui il couchait lors de ses nombreux voyages d'affaires. Pas étonnant qu'il lui ait ramené d'aussi beaux cadeaux chaque fois qu'il rentrait au bercail. Le salaud. Mélissa ne voyait plus son ébéniste rencontré au parc à chiens, parce qu'elle s'était rendu compte qu'il habitait toujours chez ses parents, à 30 ans. Ce n'était pas pour rien qu'il ne l'avait jamais invitée chez lui en près d'un an de fréquentation. Et Violaine trouvait qu'Alexis était de moins en moins sérieux, qu'il ne lui faisait pas vraiment de place dans sa vie. Il préférait courir les lancements avec son meilleur ami que de prendre soin d'elle, quand elle se claquait une bronchite après un *pitch*, par exemple.

Je leur ai raconté l'histoire de mes cinq derniers mois, vivre un deuil dans le deuil, mon vieux *pattern* avec Nassor et le sentiment de me sentir gâtée pourrie dans mon dilemme nord-américain… Je venais d'atteindre un autre niveau d'absurdité dans mes histoires, je pense. Un niveau dont je me serais bien passée. J'étais épuisée par l'anecdote en tant que telle, par l'avortement, par le décalage horaire. Je crois même que je commençais à être au bout du rouleau de ces aventures qui n'aboutissaient jamais à rien. J'avais eu beaucoup de plaisir ces dernières années, certes. Mais je n'avais toujours pas trouvé quelqu'un avec qui partager un bout de vie au quotidien. Peut-être parce que d'être en voyage n'est jamais le quotidien. J'en étais même venue à constater qu'un peu de 9 à 5 me ferait sans doute du bien. Des montagnes russes un peu moins épeurantes, disons. Je n'étais toujours pas attirée par le 450, ni par l'abonnement au Costco, mais je commençais à avoir envie de vivre quelque chose ici, quelque chose de vrai.

Je n'ai pas raconté mon avortement à Patrice, parce qu'il n'avait pas besoin de tout savoir. Je lui ai toutefois précisé que j'avais vraiment touché le fond et que j'en avais vraiment marre des relations outre-mer. De son côté, sa relation battait de l'aile depuis quelques mois, comme s'ils avaient pris des chemins différents avec le temps. Il m'avait tellement écoutée avec mes histoires de fous que je sentais que c'était à mon tour d'être là pour lui. Simultanément, nous nous voyions de plus en plus souvent, par hasard, puis par exprès. Je le croisais dans le métro, puis chez Métro, et même dans la rangée des déos à la pharmacie. Partout. Bizarrement, ça me faisait sourire, autrement. Petit à petit, toutes les raisons étaient bonnes pour nous voir chaque mois, chaque semaine. Je l'ai apaisé un temps, puis étouffé si rapidement.

Et finalement, il avait besoin de temps.

Il y a de ces hommes qui font si bien semblant.

Patrice m'a utilisée comme *rebound*. Par-dessus tout, il voulait que je sois patiente, que je l'attende au cas où. Aussi bien dire qu'il voulait le beurre et l'argent du beurre. Tel était son niveau d'égoïsme. Il ne m'a plus jamais rappelée. Jamais. J'ai tout pleuré ce qu'il y avait à pleurer. Je n'ai d'ailleurs pas encore compris comment quelqu'un pouvait faire ça à une amie. Personne de mon entourage n'a encore compris quel fusible avait bien pu sauter dans sa petite tête pour me larguer comme ça, pour me balancer par la fenêtre, comme si j'étais une sale ordure. Quand tu as cru avoir enfin brisé ton *pattern* pour de bon, avoir enfin choisi le bon gars pour une fois, et qu'il te jette aux oubliettes comme du poisson pourri, c'est comme si plus rien ne pouvait être vrai. J'avais l'impression qu'il s'était soudainement transformé en monstre et que sa seule mission était de me faire du mal, de me briser en mille miettes. Je ne reconnaissais plus le Patrice que je croyais si bien connaître. Il a anéanti tout mon instinct. Ma petite voix intérieure était désormais muette. Il venait de m'arracher mon gouvernail, tout ce qu'il me restait pour garder le cap et éviter de perdre le nord. Perte totale de repères.

Chapitre 10 : Elsie
Où ça? : ici
Pourquoi déjà? : Parce qu'il faut bien revenir sur terre

Je ne souhaite pas une parcelle du mal qu'il m'a fait à mon pire ennemi. Chaque fois que je trouve la force de sortir de chez moi, je suis angoissée à l'idée de le croiser dans le quartier. Je ne sais pas du tout comment je réagirais si je le voyais par hasard à l'épicerie, à la crèmerie, au restaurant où nous allions tout le temps bruncher. Devrais-je guérir le mal par le mal?

Honnêtement, je ne pense pas m'en remettre, de celle-là.

Je pleure chaque jour. Je n'ai pas autant pleuré depuis le décès de ma mère, ce n'est pas peu dire. Steph dit que je bois trop et que je ne mange pas assez. Pourquoi est-ce qu'on se fait ça, déjà? Si Patrice me voyait aujourd'hui, ça lui donnerait pratiquement raison de m'avoir sacrée là.

Pis je m'en veux à mort de l'avoir laissé me détruire comme ça. Je pourrais facilement me dire qu'il ne me méritait pas, que je n'ai rien à me reprocher, que c'est lui qui n'a pas assuré. Chaque fois que j'ai l'impression de remonter un peu la pente, je me demande une millième fois ce qui a bien pu se passer. Et je m'essouffle avant même d'avoir le temps de formuler une autre raison plausible dans ma tête.

Je garde le peu de force qu'il me reste pour me sortir du lit, me faire une cafetière bien pleine et essayer de travailler de l'aube au crépuscule pour masquer le mal. Comme un robot, je ne fais qu'exécuter les ordres de mes clients, sans poser de questions, sans négocier ni offrir d'en faire plus. Je suis sur le pilote automatique, sans quoi je resterais probablement en bas de la pente le restant de mes jours.

Je veux bien trouver un remède à mon malaise cardiaque, mais même Wikipédia ne peut pas m'aider. Par moment, même mon robot fait défaut et quitte mes traductions inopinément. Je fixe le mur bleu supposément « baie de la Jamaïque » de ma chambre. Je peux partir longtemps comme ça. Est-ce que c'est ça, méditer? Quoi qu'il en soit, c'est en fixant ce néant que je réalise que le bon côté dans tout ça, c'est que je ne pourrai plus jamais avoir aussi mal.

Mon pilote automatique me garde fonctionnelle. Sauf le jour où j'aurais été censée accoucher de cet enfant conçu maladroitement avec Nassor. Je pèse sur le frein et je refonds en larmes. Même si je sais que j'ai pris la décision la plus sage, cela ne veut pas dire que je n'ai aucun regret pour autant. Je n'assumerai jamais complètement ce choix.

Toujours en fixant la « baie de la Jamaïque », je ne peux pas m'empêcher de me demander : est-ce que le vrai amour ébranle toujours autant? Au point d'en être dépendant? Et si les *junkies*, à force de s'autodétruire, doivent se départir de l'héroïne; dois-je me départir de ces montagnes russes émotionnelles sur lesquelles je roule depuis des années et qui me sont peut-être tout aussi nuisibles?

Avec Daniel, je me sentais toujours sur la corde raide, comme si j'avais toujours peur qu'il s'en aille, peur de n'avoir pas assez profité de sa présence, ce qui entretenait parfaitement ma dépendance à ses paroles, son sourire, à lui. À travers toutes mes autres relations, c'est comme si j'avais toujours essayé de retrouver ce sentiment, sans qu'aucune d'entre elles réussissent à me procurer l'effet escompté. Comme si je cherchais désespérément cette sensation d'ivresse, de bonheur intense en m'accrochant même aux personnes les plus invraisemblables. Patrice est celui qui m'a fait toucher le fond. Le fond du dernier 40 onces qu'un alcoolique vide avant d'entrer dans les AA pour vrai. Je suis enfin prête pour la désintox.

Je viens à peine de m'avouer que j'ai un sérieux problème de dépendance aux émotions fortes et je réalise en même temps que pendant tout ce temps-là, alors que j'étais chaque fois déçue par le manque d'engagement des hommes, je ne les laissais jamais entrer dans mon quotidien à Montréal. J'évitais tout autant l'engagement. Je pouvais toujours m'enfuir de chez eux. C'était une sorte de bouclier. Sauf avec Daniel, l'exception à toutes mes règles. Un psychologue me dirait sûrement que c'est en lien avec le fait que mon père nous a quittées, ma mère et moi, alors que j'avais seulement deux ans. Père manquant, fille maganée. Il aurait sans doute raison. Il ne faut pas chercher bien loin pour comprendre d'où provient cette peur immense de l'abandon, cette manie de me retrouver dans des histoires sans issue pour tenter, chaque fois, de me prouver que j'en vaux vraiment la peine, qu'on ne va pas m'abandonner, pour une fois.

Il ne me reste qu'une chose à faire pour survivre. Je dois me sevrer, exterminer ce besoin d'avoir des papillons dans l'estomac pour que ce soit de l'amour. Après tout, même si ma vie amoureuse n'est pas digne du dernier manège de La Ronde, elle n'est pas plate pour autant.

Petit à petit, je lâche prise sur les sensations dont j'ai si souvent abusé pour faire planer ma vie amoureuse, sous prétexte que sans elles, je passais forcément à côté de quelque chose. Quelque chose que je n'ai toujours pas trouvé, d'ailleurs. Enfin, je me sens remonter la pente.

Je me surprends à me planifier deux conférences téléphoniques sur Skype avec des clients dans la même semaine. Je n'arrête pas le progrès. En pleine discussion, je vois que Daniel m'envoie un message. Mes yeux fuient la conférence. Ça doit certainement paraître que je fais autre chose.

— Salut Elsie, ça va?

Je perds carrément le fil de la discussion.

— Salut, oui. Je suis au téléphone avec un client.

— Pas de souci, je voulais simplement savoir si tu allais bien. Et tu sais quoi? Je pars faire du bénévolat dans un hôpital en Inde le mois prochain.

Quoi? J'inspire. Je lève les yeux au ciel pour faire signe à ma mère de gérer ça. Je retourne à ma conversation professionnelle, je termine le tout rapidement et je me répète à voix haute : QUOI?

Sans même réfléchir deux secondes, je cours dans la salle de bain refaire mes cheveux, me donner un coup de cache-cernes et de fard à joues, au cas où il voudrait prolonger la conversation sous forme vidéo. La folle. Je reviens devant l'écran. Je me trouve conne, la pire des connes. Comme une alcoolique sobre devant un bar ouvert, j'ai bien failli rechuter. La *junkie* en moi aurait voulu lire : tu viens me rejoindre? La *junkie* en rémission lui a plutôt répondu sans point d'exclamation ni bonhomme sourire.

— C'est bien. Contente pour toi.

— Oui, c'est super! Bon, je te laisse, je sors prendre un verre, tu sais, le bar où nous sommes allés danser?

Non, mais il me niaise ou bien? La drogue ne va pas me ravoir de sitôt.

— Oui, oui. Bonne soirée.

Vive le bon vieux point pour demeurer de glace devant mes démons du passé.

Il faut que j'appelle Steph au bureau immédiatement.

— Steph, c'est moi. Tu devineras pas la dernière.

— J'ai un peu peur, mais vas-y.

— Imagine-toi donc que Daniel vient de m'écrire sur Skype, lui qui a pas donné de nouvelles depuis des lunes. Il voulait me saluer et me dire tout bonnement qu'il s'en va faire du bénévolat en Inde. Il me niaise, sérieux. Ça fait quoi, presque trois ans qu'on s'est pas donné de nouvelles?

— Comme s'il essayait de t'agacer, de te faire savoir où il est rendu, parce qu'il sait très bien que ça va te faire de l'effet.

— Exactement. Pourquoi? Et pourquoi maintenant que j'essaie tant bien que mal de me débarrasser de ma dépendance?

— Je sais ben pas. Un test que la vie t'envoie. Va falloir que tu te trouves des moyens pour gérer tes pulsions.

— Ça doit être ça. En tout cas, as-tu envie qu'on se fasse une soirée toutes les deux?

— Ah, ben oui! C'est parfait, Philippe a son hockey. Il viendra pas coucher. À ce soir!

— OK, ciao!

L'homme qui m'a si longtemps chavirée refait surface lorsque je suis sur le point de sortir la tête de l'eau. Il m'est vital de respirer lentement et profondément et de me rappeler toutes les fois où il m'a déçue, tel un coït interrompu. Toutes les fois où je me suis imaginé le scénario de rêve qui s'est évidemment transformé en cauchemar, en crise de larmes, en excès de crème glacée. Tout ce temps-là, je l'ai mis sur un piédestal à talons aiguilles, au point de le surnommer PDG de la pyramide de Maslow. Il n'a eu qu'à m'envoyer quelques mots virtuels pour que je manque de rechuter en quelques coups de clavier. Si une *junkie* en rémission doit éviter de passer devant la piquerie, je dois inévitablement le supprimer de Skype, de ma liste de contacts sur mon téléphone et balancer dans l'oubli tous ses courriels que je gardais dans un dossier intitulé « Dérapage » depuis mon retour du Costa Rica.

Une partie de moi est fière de ne pas avoir succombé à la tentation que Daniel suscite en moi et qu'il suscitera probablement à jamais. L'autre se demande comment je saurai reconnaître l'amour si jamais il ose se pointer à nouveau. L'amour sans buzz ni hallucination. Comment ressent-on ça, le vrai amour de toute façon? Aurai-je droit à un indice à un moment donné? Froid, tiède, chaud, je brûle? J'ai l'impression de m'y être immunisé avec le temps. Comme s'il est préférable de ne pas y croire complètement de peur que ça m'explose en pleine face à tout moment. Un mécanisme de défense qui assure apparemment la survie de la race.

Pendant toutes ces années, j'ai préféré m'agripper à des scénarios rêvés plutôt qu'à une réalité tangible. Peut-être qu'inconsciemment, je trouvais qu'il était plus facile de passer l'éponge sur une histoire qui foire que sur une rupture qui pourrait potentiellement me déchirer les entrailles. De l'utilité de voyager léger. Pouvoir déguerpir en vitesse, me relever sans trop perdre le balan, peser sur le piton *reset* avant même que l'autre tente de me tirer vers le bas. Darwin trouverait sûrement que j'ai beurré épais pour braver les menaces de la vie.

Chaque fois, j'étais en amour avec le contexte et non le mec, sauf avec Daniel. Sauf avec Patrice aussi, grâce à qui je croyais enfin m'être exorcisée de tout ça. Je pars dans la lune.

— Ça se peux-tu? me dis-je tout haut.

Je me parle encore à voix haute. Je ne vais quand même pas me défaire de toutes mes mauvaises habitudes.

Il faut croire que le vieux dicton voulant qu'on ne soit jamais si bien servi que par soi-même vaut toujours son pesant d'or pour se remettre d'une peine d'amour. Personne ne va me sortir de l'eau, me tendre la main, me secourir. Les *rebonds* pour moi, c'est non.

Ce jour-là, je cesse de fixer le mur. Doucement, j'écarte les rideaux qui gardent la pièce sombre comme une chambre d'adolescente depuis trop longtemps. Je marche jusqu'à la salle de bain au même rythme que lorsque je me réveille d'une sieste. Je me sens dans cet état depuis le jour où Patrice a eu besoin de temps. Dans la douche beaucoup trop chaude, je pique de l'exfoliant à Steph puisque je dois bien avoir un masque de peaux mortes. Avec la manche de mon peignoir, j'essuie le miroir encore couvert de buée. C'est ce jour-là que je me suis trouvée belle à nouveau.

Remerciements

Antoine, merci de ta confiance, d'avoir eu l'ouverture d'esprit de publier mon premier roman et de m'avoir guidée tout au long de la création.

Émily, merci pour toutes les lectures, tes précieuses suggestions, pour comprendre mon ton et laisser passer quelques imperfections pour garder le rythme.

Laurie, merci pour tes doigts de fée qui ont su illustrer cette belle aventure.

Marie-Ève, Steph, Amé, Méli, Véro, Rox D, Rox P, Cath P, No, Audrée, Kat R, Kat B, Anita et toute la bande, merci pour l'écoute et le partage d'anecdotes croustillantes qui m'ont grandement inspirée pour faire voyager Elsie d'un bout à l'autre de la planète.

Mom, Pop et Max, qui ont parfois du mal à me suivre sur la carte, mais qui ont été mes premiers partenaires de voyage. Merci pour la piqûre.

À tous ces gens rencontrés sur la route : merci d'être passés dans ma vie.

Distributeurs exclusifs

Pour le Canada et les États-Unis
MESSAGERIES ADP
2315, rue de la Province
Longueuil, Québec J4G 1G4
Téléphone : 450 640-1237
Télécopieur : 450 674-6237
Internet www.messageries-adp.com

Pour la France et les autres pays
INTERFORUM EDITIS
Immeuble Paryseine, 3, Allée de la Seine
94854 Ivry CEDEX – France
Téléphone : 33 (0) 1 49 11 56/91
Télécopieur : 33 (0) 1 49 59 11 33
Service commandes France Métropolitaine
Téléphone : 33 (0) 2 38 32 71 00
Télécopieur : 33 (0) 2 38 32 71 28
Internet : www.interforum.fr
Service commandes Export – DOM-TOM
Télécopieur : 33 (0) 2 38 32 78 86
Internet : www.interforum.fr
Courriel : cdes-export@interforum.fr

Pour la Suisse
INTERFORUM EDITIS SUISSE
Case postale 69 – CH 1701 Fribourg – Suisse
Téléphone : 41 (0) 26 460 80 60
Télécopieur : 41 (0) 26 460 80 68
Internet : www.interforumsuisse.ch
Courriel : office@interforumsuisse.ch
Distributeur : OLF S.A.
ZI. 3, Corminboeuf
Case postale 1061 – CH 1701 Fribourg – Suisse
Commandes
Téléphone : 41 (0) 26 467 53 33
Télécopieur : 41 (0) 26 467 54 66
Internet : www.olf.ch
Courriel : information@olf.ch

Pour la Belgique et le Luxembourg
INTERFORUM BENELUX S.A.
Fond Jean-Pâques, 6
B-1348 Louvain-La-Neuve – Belgique
Téléphone : 32 (0) 10 42 03 20
Télécopieur : 32 (0) 10 41 20 24
Internet : www.interforum.be
Courriel : info@interforum.be